ar fy mhen Blwydd yn
79
Wrth D.

23-8-41
i
23-8-20.

CW00696788

HANES MENYWOD CYMRU 1920-60

Yn eu geiriau eu hunain

I holl aelodau Merched y Wawr –
ddoe, heddiw ac yfory

Argraffiad cyntaf: 2019

© Hawlfraint Catrin Stevens a'r Lolfa Cyf., 2019

Mae hawlfraint ar gynnwys y llyfr hwn ac mae'n anghyfreithlon llungopïo neu atgynhyrchu unrhyw ran ohono trwy unrhyw ddull ac at unrhyw bwrpas (ar wahân i adolygu) heb gytundeb ysgrifenedig y cyhoeddwyr ymlaen llaw

Dymuna'r cyhoeddwyr gydnabod cymorth ariannol
Cyngor Llyfrau Cymru

Llun y clawr blaen: Raymond Daniel
Lluniau y clawr ôl: Casgliad Mari G. Evans a Tim Pearce
Cynllun y clawr: Olwen Fowler

Rhif Llyfr Rhyngwladol: 978 1 78461 7 660

Cyhoeddwyd, rhwymwyd ac argraff wyd yng Nghymru gan
Y Lolfa Cyf., Talybont, Ceredigion SY24 5HE
gwefan www.ylolfa.com
e-bost ylolfa@ylolfa.com
ffôn 01970 832 304
ffacs 832 782

HANES MENYWOD CYMRU 1920–60

Yn eu geiriau eu hunain

CATRIN STEVENS

CYNNWYS

(Llun: Casgliad Ceridwen Lloyd-Morgan)

RHAGAIR

Cymeriadau dylanwadol oedd nifer fawr o'r menywod mentrus yma a fu'n gonglfeini eu cymunedau mewn adegau o drallod a thlodi, ond a fu hefyd yn ganolog i ddathliadau ac yn gweithio'n ddiwyd a chefnogol heb fynnu sylw.

Yn wir mae'r darlun a geir yn y gyfrol hon yn un hanesyddol prin. Nid ffeministiaeth sy'n cael ei bortreadu yma ond bywyd bob dydd y menywod, a'u cyfraniad amhrisiadwy i gymdeithas ar y pryd, yn amrywio yn eu gwaith o fynd yn nyrs i forwyn fferm, i fod yn athrawes neu wraig fferm, ynghyd â'u dyletswyddau a'u dyheadau dyddiol.

Dyma ddarlun gwirioneddol ddifyr o gyfnod mewn hanes na chaiff ei adlewyrchu yn llyfrau hanes Cymru – darllenwch, mwynhewch, ac os ydych yn debyg i mi fe fyddwch yn chwerthin yn uchel un funud a'r funud nesaf yn colli deigryn o dosturi.

Diolch i Catrin am y fraint o gael bod yn rhan o'r prosiect gwreiddiol ac am y cyfle i gael cyfweld rhai o'r cyfranwyr gan ddysgu am wirioneddau eu bywydau. Ond diolch eto ddeunaw mlynedd yn hwyrach am weld y freuddwyd yn dod yn realaeth ac am rannu'r cofnod difyr yma â chenhedlaeth newydd o ferched y dyfodol. Er y caledi, braf ydyw gweld i'r menywod hyn oroesi, gan adrodd eu straeon gyda gonestrwydd a thaflu goleuni ar wirioneddau mawr eu bywydau.

Gafaelwch mewn campwaith o onestrwydd yn y gyfrol arbennig hon.

Tegwen Morris

Trefnydd Cenedlaethol Merched y Wawr

Medi 2019

RHAGYMADRODD

Rhwng 2000 a 2002 cefais y fraint o fod yn Llywydd Cenedlaethol Merched y Wawr. Ar y pryd roeddwn yn Bennaeth Hanes a Hanes Cymru yng Ngholeg y Drindod, Caerfyrddin ac wedi dechrau ymddiddori yn hanes menywod yng Nghymru ac wedi ymuno â'r mudiad newydd, ffeminyddol, Archif Menywod Cymru. Un o brif amcanion y mudiad hwn yw achub a diogelu ffynonellau hanes menywod, oherwydd heb ffynonellau does dim hanes. Fel fflach, ryw ddiwrnod, sylweddolais fod gennym, ym Merched y Wawr, ffynonellau dihysbydd am hanes menywod, oedd yn Gymry Cymraeg, yn hanner cyntaf yr ugeinfed ganrif a'i bod yn allweddol bwysig eu cofnodi a'u diogelu, cyn ei bod yn rhy hwyr. Prin y byddai'r menywod hyn wedi mynd ati i ysgrifennu eu hatgofion – ond gallent siarad a mynegi eu profiadau yn groyw, yn graff ac yn ddiddorol.

O hyn y deilliodd 'Prosiect Hanes Llafar Menywod yng Nghymru 1920–1960'. Cafwyd grant sylweddol gan Gronfa Dreftadaeth y Loteri a'r nod uchelgeisiol oedd recordio pedwar aelod o bob cangen (1,000 o gasetiau i gyd) i ddathlu'r mileniwm. Yn ffodus, gallem fanteisio ar gyngor Dr Beth Thomas, arbenigwraig ar hanes llafar, a Meinwen Ruddock-Jones yn Sain Ffagan, Amgueddfa Werin Cymru, ac yn yr archif honno mae'r hanesion wedi llochesu am ddeunaw mlynedd. Bu Coleg y Drindod yn gefnogol hefyd, gydag arbenigedd Cerys James, y Swyddog Cyllid, a thrwy roi cartref i'r tîm ymchwil yn y de.

Ond y gweithwyr maes fu'n allweddol i lwyddiant y prosiect. Denwyd dau Swyddog Maes, Ruth Morgan yn y de a Sharon Owen yn y gogledd, a oedd yn gwbl ymroddedig ac wrth eu bodd yn sgwrsio'n hamddenol ond yn dreiddgar â'r siaradwyr. Ymunodd cant a hanner o wirfoddolwyr â'r tîm i gyfweld yn eu canghennau ac i adysgrifio'r tapiau. Bu'r profiad hwn, gydag aelodau hŷn yn rhannu eu hatgofion gydag aelodau iau yn eu cangen, ac yn dysgu bod yn haneswyr eu hunain, yn agoriad llygad i'r naill genhedlaeth a'r llall. Bu cymorth Meriel Davies yn gweinyddu'r prosiect yn gaffaeliad hefyd.

Recordiwyd tua 750 o siaradwyr ar gyfer y prosiect a bu'n amhosibl cynnwys tystiolaeth pawb yn y gyfrol hon. Nid yw hynny'n dibrisio unrhyw stori ond lle bo sawl un wedi cael profiad tebyg bu'n rhaid dewis a dethol yn ofalus er mwyn sicrhau'r mynegiant mwyaf diddorol a chynrychioladol o'r profiad hwnnw. Gobeithio na fydd hynny'n siomi'r rhai fu'n cymryd rhan, nas dyfynnwyd. Dewisodd rhyw 32 o'r siaradwyr a ddyfynnir fod yn anhysbys, ac yn anffodus penderfynodd rhai siaradwyr nad oeddent eisiau i'w tystiolaeth gael ei chyhoeddi o gwbl. Cofier bod modd clywed y cyfweliadau gwreiddiol yn Sain Ffagan neu trwy Swyddfa Merched y Wawr yn Aberystwyth a dyfynnir llu o'r cyfraniadau ar wefan y prosiect: www.hanesmerchedcymru.merchedywawr.com. Penderfynwyd yn nehongliad y gyfrol hon i ddefnyddio enwau'r menywod ar y diwrnod y recordiwyd hwy ac i gyfeirio atynt yn ôl man eu geni, gan ychwanegu manylion pellach – enw'r gangen, y rhanbarth a rhifau'r tapiau yn yr atodiad.

Mae rhai haneswyr yn dilorni a chwestiynu hanes llafar fel ffynhonnell hanesyddol, gan gyfeirio at ragfarn bersonol neu duedd i liwio hanesion i roi darlun mwy cadarnhaol ohonynt hwy eu hunain, eu teuluoedd neu eu cymdeithas. Ond profodd y prosiect hwn i'r gwrthwyneb. Siaradodd yr aelodau yn onest ac yn ddiffuant, heb fynd ati i wyrdroi nac ystumio'u profiadau. Gwelsom werth stori'r unigolyn; roedd pob cyfweliad yn unigryw ac eto, trwy'u cymharu a'u cydbwyso, cyflwynent ddarlun amhrisiadwy o'r newidiadau enfawr ym mywydau menywod dros bum degawd, o brinder a llymder yr 1920au hyd at *Swinging Sixties* diwedd y chwedegau. O fewn hanner canrif arall bydd y dystiolaeth hon yn ddieithr ac estron iawn i drigolion Cymru. Dyna pam fod yr archif ei hun mor werthfawr a bod cyflwyno'r cyfoeth sydd ynddi yn y gyfrol hon yn hanesyddol werthfawr, nid yn unig i Ferched y Wawr ond i hanes Cymru'r ugeinfed ganrif.

Dyma ein hanes ni – gobeithio y mwynhewch ei ddarllen. Diolch i wasg *Y Lolfa* ac i Meleri Wyn James, y golygydd, am ddeall a gwerthfawrogi ei arwyddocâd.

Gwrandewch ar eu lleisiau a chlywch eu hanesion.

Pennod 1
BYW A BOD

Cawn ddarluniau lliwgar ac amrywiol iawn o fywydau bob dydd yng Nghymru rhwng 1920 ac 1960 yng nghyfweliadau'r prosiect hwn. Yn y bennod hon ceisir gosod cefndir a chyd-destun gweddill y gyfrol ond rhaid cadw mewn cof wrth gyffredinoli a llunio darlun cyfansawdd, y gall yr amrywiaeth ddaearyddol ac amseryddol fod yn rhyfeddol ac nad stori pawb yw stori'r unigolyn bob tro. Gyda'r cafeat yna, wele geisio creu darlun o'r cyfnod.

Magwyd nifer fawr o'r siaradwyr mewn cartrefi heb ddŵr rhedegog na thrydan. Cofia Rhiannon Price, Trecastell, ei mam yn cario dŵr yfed a choginio mewn bwced led cae o'r ffynnon, ac er bod pwmp yn yr ardd yn cyflenwi dŵr ymolchi a golchi dillad yng nghartref Myfanwy Jarman, Bodffordd, carient ddŵr yfed o Ffynnon Cildwrn hanner milltir i ffwrdd. Does ryfedd fod Mary Wyn Jones, Pontllyfni, yn dweud mai 'Un o'r pechodau mwya oedd wastio dŵr... roedd dŵr yn beth prin, wedyn roeddach chi'n cymryd lot o ofal ohono.' Caiff hyn ei adlewyrchu mewn trefniadau ymolchi. Disgrifia Margaret Davies, Beulah, sut y byddai hi a'i chwiorydd yn rhannu llofft a *washstand*. Deuai ei mam â jwgaid o ddŵr iddynt;

Hannah Morgan, Y Felin, Hendy-gwyn yn cario dŵr i'r tŷ; tua 1920. (Llun: Casgliad Marion Thomas)

ymolchai'r chwaer hynaf yn gyntaf, yna'r ail a Margaret yn olaf – pawb yn yr un dŵr. Wedi gorffen, eu tasg fyddai gwagio'r siambar pot o dan y gwely i fwced *slops* a golchi'r pot allan â'r dŵr ymolchi oedd dros ben.

Unwaith yr wythnos, ar nos Sadwrn fel arfer, i fod yn lân ar gyfer capel trannoeth, y byddent yn cael bàth a golchi eu gwallt. Gosodid padell dun, hir o flaen tân y gegin a'i llenwi â dŵr berw o'r bwyler mawr ar y grât hen ffasiwn blac-led. Y tro hwn yr ieuengaf âi'n gyntaf a phawb yn ei dro'n ymolchi yn yr un dŵr. Byddai teulu Laura Jones, Llanfihangel, ger Cerrigydrudion, yn dechrau arni tua phump nos Sadwrn i sicrhau bod gwalltiau pawb wedi sychu cyn mynd i'r gwely. Disgrifia Meirwen Davies, Ffynnongroyw, y ddefod boblogaidd yn y pedwardegau o roi clytiau yng ngwalltiau'r merched i wneud *ringlets* a mynd i'r gwely ynddynt. Fore trannoeth byddai'r gwallt yn gudynnau modrwyog, ffasiynol. Cawn ambell ddisgrifiad o lafur caled gofalu am dyaid o lowyr yn y cyfnod hefyd, cyn cyflwyno baddonau pen-pwll. Ymfalchïai Margaret Jones, Betws, Rhydaman, iddynt hwy gael bathrwm go iawn yn y dauddegau am eu bod yn lletya tri glöwr a baich y gofal yn fawr ar ei mam. Teulu Mary Hall oedd y cyntaf ar ben craig Trebannws, meddai, i gael bàth a dŵr twym a deuai ei ffrindiau i chwarae ynddo. Roedd cael *hot and cold taps*, chwedl hithau, 'yn rhywbeth mawr.'

Doedd dim toiledau ym mwyafrif y cartrefi ychwaith a cheir llu o ddisgrifiadau o'r tai bach ym mhen draw'r ardd gefn. Yr oedd *twin toilet*, gydag un twll mawr ac un twll bach a cherrig glas ar y llawr yng nghartref Elsa Jones, Rhuthun, a'i thasg hi fyddai sgrwbio'r llawr hwn bob bore Sadwrn. Papur newydd wedi ei dorri a ddefnyddid neu ddarnau o gatalog J D Williams, a dyna gyfle i'w darllen ar yr orsedd yno! Amheuthun felly oedd gallu defnyddio'r papur meddal a ddeuai o amgylch orenau adeg y Nadolig at y dasg hon, medd Mona Roberts, Amlwch. Cofiai'r siaradwyr am y lori ludw yn dod heibio gyda'r nos yn wythnosol i gasglu cynnyrch y tai bach hyn.

Ceir ambell ddisgrifiad o ddodrefn cartrefi'r cyfnod, ac er na fyddai'n union yr un nodweddion ym mhob cartref, roedd sawl elfen gyffredin a thraddodiadol ynddynt. Roedd y dresel a'i llestri glas a gwyn yn ganolog yng nghartref Eleanor Roberts, Drws-y-coed, ac roedd yno fwrdd crwn, bwrdd fferm â droriau ynddo, cwpwrdd lle cedwid y *Beibl* a *Thrysorfa'r Plant*, setl, grât dau bentan, a chanhwyllau pres a dau gi du ar y silff ben tân. Safai'r cloc mawr nesaf at y dresel ac yn ei ymyl hongiai llun eiconig

'Salem'. Aiff Elsa Jones â ni ar daith o gwmpas y ffermdy lle magwyd hi, gan ddechrau yn y pantri a'r *dairy* a'u silffoedd bwyd a'r garreg las ar lawr, cyn troi am y gegin, lle ceid cwpwrdd llestri a chwpwrdd gwydr i ddal llyfrau. Grât hen ffasiwn oedd ganddynt a byddai'n rhaid gwagio'r lludw unwaith yr wythnos. Roedd yno ddresel â chwe drôr bach, un ar gyfer cadachau poced ac un i gadw llyfrau rysáit. Yn y gegin roedd cadeiriau breichiau o boptu i'r tân a bwrdd gwyn ar gyfer y gweision a'r forwyn, tra eisteddai'r teulu wrth fwrdd arall. Yn hyn o beth, diddorol nodi sylw bachog Margaret Davies, Beulah, 'Un ford oedd yn tŷ ni', ac eithrio pan ddeuai'r pregethwr a gâi ei fwyd yn y rŵm ffrynt. Yna, arwain Elsa ni drwodd i'r parlwr bach lle'r oedd piano, soffa a dwy gadair freichiau ac i'r parlwr mawr 'wedi'i ddodrefnu'n reit neis gyda seidbord neis ac *antimacassar* coch dros y silff ben tân.' Disgleiria ei balchder yn ei chartref trwy'i disgrifiad manwl. Leino fyddai ar y llawr gan amlaf cyn yr Ail Ryfel Byd a mat racs, o waith llaw, o flaen y tân. Ond yn y chwedegau, daeth tro ar fyd, medd Avrina Jones, Machynlleth:

> Dwi'n cofio pan gafes i fy ngharped yn newydd – o'n i'n meddwl bod o'n rwbeth moethus iawn... Oren oedd o. O'dd lliw oren yn y ffasiwn amser hynny... Dwi'n cofio prynu *cushions* oren wedyn.

Dydd Llun oedd diwrnod golchi dillad a byddai'r dasg undonog yn dwyn y diwrnod cyfan. Golygai'r dasg waith corfforol caled, oherwydd twb golchi, doli a bwrdd golchi neu styllen fyddai gan y mwyafrif. Câi cynfasau neu shîts eu berwi mewn bwyler dros dân agored a'u rhoi mewn dŵr oer â bliw ynddo i'w glasu, neu eu startsio'n galed. Disgrifia Mary Morgan, Glyn-nedd (Llanrhystud), y dasg beryglus o gario'r dŵr berw i'r twb a'i newid deirgwaith. *Lux* a sebon gwyrdd *Sunlight* mewn bariau mawr a ddefnyddid, gan hongian y sebon dan y llofft i sychu a thorri darnau ohono yn ôl yr angen. Unwaith y mis y golchid crysau gwlanen am eu bod mor anodd eu sychu, meddai, ac unwaith y flwyddyn, allan ar y clos, y golchid blancedi. Y mangl fyddai'n tynnu'r dŵr o'r dillad cyn eu hongian ar y lein. Darlunia Rhydwen James, yr Alltwen, naws diwrnod golchi dillad yn y pedwardegau:

> Amser o'n i'n ysgol o'dd 'da fi ginnig dod sha thre acha amser cino dydd Llun wath o'dd y gwynt golchi, o'dd e'n bobman, a rywbeth dros dro, dim ond rywbeth shifft, o'dd cino dydd Llun, achos o'dd mami mor fishi wrth y golchi.

Eira Taylor (Morris yn y llun), Beddgelert, a'r golch, gyda'r mangl yn y cefndir; tua 1950. (Llun: Casgliad William Alun Hughes)

Mary Llewellyn yn hongian golch ar y lein ddillad, Login; tua 1970. (Llun: Casgliad Mary Llewellyn)

Yn ôl Valerie James, Brynaman, fyddai'r golch ddim yn mynd ar y lein nes ei fod yn berffaith ac yna rhaid oedd hongian y dillad gwyn a'r rhai lliw ar wahân. Cofnoda Gwen Parry Jones, Pen-y-ffordd, Sir y Fflint, drefn gyffelyb, ond bod dillad gwaith y lofa'n mynd ar lein fach yn y cefn. Mae hyn yn ein hatgoffa o'r darluniau eiconig o leiniau dillad cymoedd de Cymru a'r ddelwedd o'r wraig tŷ ddelfrydol, 'deidi'. Tasg lafurus arall oedd smwddio'r dillad – ar brynhawn Llun neu ddydd Mawrth. Rhoid dau neu dri heter neu haearn smwddio yn y tân nes eu bod yn eirias boeth.

Codid yr heter i'r bocs smwddio ar y bwrdd a dim ond y dillad gwynion a gâi eu smwddio. Roedd y cyfan 'yn drafferthus iawn' yn ôl Olwen Williams, Llansannan, a'r huddygl o'r simnai yn aml yn baeddu'r dillad. Gallai pob gwraig tŷ a holwyd uniaethu â phatrwm wythnos waith debyg i hwn: golchi ar y Llun, smwddio dydd Mawrth, glanhau'r llawr isaf dydd Mercher, siopa dydd Iau efallai a glanhau'r llofftydd dydd Gwener. Er gwaetha'r cylch gwaith diddiwedd hwn doedd gwragedd tŷ'r cyfnod ddim yn ystyried eu bod 'yn gweithio' o gwbl. Yn y Gymru ddiwydiannol, fel y dengys Miriam Evans, Tre-boeth, ystyrid i fenyw fynd *allan* i weithio am dâl, 'yn beth ail-raddol'. Dyna'i ffawd – ar yr aelwyd yr oedd ei lle. Yn wir, cofia Ray Morris, Llangyfelach, mai ffedog gynfas mewn papur brown â chortyn amdano oedd anrheg Nadolig ei mam iddi un flwyddyn.

Miss E Hughes yn pobi torthau mewn popty hen-ffasiwn yn Llanrhaeadr-ym-Mochnant yn 1955. Câi'r popty ei wresogi trwy roi coed ynddo i'w boethi nes eu bod yn eirias. (Llun: Geoff Charles)

Neilltuid un diwrnod yr wythnos i bobi. Pobai 'mam' Mary Morgan ddeg o dorthau ar y tro yn y ffwrn wal a byddai'n 'barticlar iawn' fod angen coed ynn i gynnau'n ffyrnig a derw i gynnau'n hirach ar gyfer y dasg hon. Pan fyddai'r ffwrn yn eirias tynnai'r tân allan ar y llawr a gadael ychydig bach ar ôl i bobi'r torthau. Yn y cyfamser gwnâi bwdin reis a chacen fawr i'w cynnal am wythnos gyfan. Deuai dynes i gartref Margretta Cartwright, Caergybi, i wneud bara ceirch ar gyfer siot: siot oer gyda llefrith oer yn yr haf a siot boeth yn y gaeaf. Rhydd Wenna Williams, Y Groeslon, syniad i ni o'r math o fwydydd a goginid yn y pedwar- pumdegau, yn eu plith tatws popty (tatws, nionyn a chig moch), tatws trwy eu crwyn a phwdin llo bach o'r llefrith cyntaf wedi i fuwch gael llo. I swper caent gaws neu wy ar dost, maidd yr iâr (cwstard wy wedi ei wneud ar y tân) a thrît arbennig ar nos Sadwrn sef pysgodyn cegddu o'r dref. Ar ddydd Sul yn unig y byddent yn bwyta cig (eidion gan amlaf) wedi ei rostio a thatws a moron. Mae'n amlwg fod tatws yn brif ymborth a disgrifia Adie Evans, Aber-cuch, sut y gwneid poten dato. Byddai'n berwi 'llond crochan o dato a masho fe lan a lwmpyn o fenyn a thorri wy iddo a phownd o fflŵr, a phownd o siwgwr brown a llond dwrn o gyrens a syltanas a rhesins' a'i goginio yn y stof. Gellid ei dafellu fel darn o gig. Cig moch oedd y prif ymborth arall. Lladdai rhieni Alice Morris, Licswm, dri mochyn a defnyddid y gwaed i wneud pwdin gwaed. Roedd yn rhaid sicrhau darn o gelyn wedi ei rwymo efo llinyn cyn i'r gwaed ddechrau llifo ac yna ei droi am ddwy awr i'w rwystro rhag ceulo. Wedi iddo oeri ychwanegid saets, saim, reis a halen a'i grasu yn y popty. Sonnir hefyd, fel y gellid disgwyl, am wneud lobsgows a chawl o lysiau'r ardd ac am goginio potes cwningen, er mai ar y slei y câi teulu Minnie Williams, Caer, gwningod, gan mai gwŷr y plas oedd piau nhw.

Gwnaeth diwrnod lladd mochyn argraff annileadwy ar y siaradwyr ac roeddent yn casáu'r achlysur. Rhaid oedd berwi dŵr i sgaldanu'r croen a thynnu'r blew. Canwyllbrennau a ddefnyddid i grafu'r blew yng nghartref Elizabeth Pugh Roberts, Rhyd-y-main. Gwneid ffagots o'r afu a'r ysgyfaint a byddai mam Rhiannon Price, Trecastell, yn rhannu ffagots dros ben rhwng aelodau'r teulu. Cadwai restr ohonynt a disgwyliai ei had-dalu'n llawn pan fyddent hwythau'n lladd mochyn. Felly hefyd gyda'r sbarib a'r cigach eraill na ellid eu cadw. Disgrifia un siaradwraig sut y câi'r pen a'r traed eu berwi yn y bwyler golchi nes bod y cig yn dod yn rhydd o'r asgwrn ac yna ei wasgu dan bwysau mewn colandr i waredu'r saim a'r dŵr a gwneud brôn blasus. Tasg fawr oedd halltu mochyn. Câi ei orchuddio â halen am dair wythnos ar fainc yn y llaethdy, a'i rwbio (gyda chlust y mochyn, medd Ray Tobias, Crug-y-bar) â halen, solpitar a phupur yn enwedig o gwmpas yr asgwrn neu'r llygad, rhag i'r cynrhon fynd iddo. Cofia Ray ei mam yn gwaredu clêr oedd yn chwythu'r ystlys, ond byddent yn dal i fwyta'r cig! Dywed fod yn rhaid hongian y cig moch yn ofalus ar fachau'r nenfwd, oherwydd petai ham yn cwympo, deuai angau i'r tŷ. Roedd cadw mochyn yn rhan hanfodol o economi pob cartref â gardd yn y cyfnod hwn gan fod modd bwyta bron bob rhan ohono.

Roedd gwneud menyn da yn grefft a brisid yn fawr. Eglura Jennie Williams, Harlech, ei chyfrinach hi, sef golchi'r llestri â dŵr oer, yna dŵr berw a'u rinsio dan ddŵr oer a gadael iddynt ddiferu'n sych. Corddai deirgwaith yr wythnos gan wneud deuddeg pwys y corddiad. Casâi Rhiannon Price droi'r fuddai gorddi a byddai hir ddisgwyl i glywed

Elsie Kendrick yn mesur llaeth i'w dywallt i jwg Rhiannon Griffiths, yn Stryd Conwy, yr Wyddgrug; tua 1947. Câi llaeth ei werthu'n rhydd fel hyn yn y cyfnod hwn. (*Llun: Rhiannon Griffiths*)

y 'plop plop' a'r menyn yn barod. Erbyn y gaeaf storid y menyn mewn padell bridd gan daenu haen o fenyn bob wythnos â halen dros ei wyneb. Deuai pobl o gymoedd y de i Drecastell i brynu padellaid o fenyn ei mam.

Roedd bwyd y cyfnod hwn yn hynod undonog fel y tystia'r rhestr hon o brydau'r wythnos: gweddillion cinio dydd Sul dydd Llun, sglodion ac wy dydd Mawrth, cig oer dydd Mercher, tatws popty dydd Iau a mwtrin (swejan a thatws wedi berwi) dydd Gwener. Cinio canol dydd oedd prif bryd y cyfnod. Gwneid defnydd llawn o lysiau a ffrwythau'r ardd gan biclo betys, a gwneud jam eirin, mwyar duon, cyrens a ffrwythau eraill. Gellid disgwyl, felly, y byddai croeso mawr i fwyd tun, gan ei fod yn cynnig amrywiaeth, ond yn anaml y prynid ef. Roedd mynd ar duniau o *pineapple chunks* ac eirin gwlanog gyda jeli i de dydd Sul ac ambell dun o *pilchards* a samwn, rhag ofn y galwai pobl ddieithr heb rybudd. Ond i eraill roedd stigma yn perthyn i brynu bwyd tun. Cofiai Marion Davies, Y Tymbl, ei mam yn siarsio ei thad, 'Da chi, Wil, pidwch dangos i neb bo chi'n dod â tun i'r tŷ hyn. Cwatwch e dan 'ch cot.'

Mae'n anodd amgyffred y gwahaniaeth aruthrol a wnaeth cyflenwad dŵr a thrydan i gartrefi'r cyfnod – roedd yn newid chwyldroadol ar eu

Mary, Nel a Bet Vaughan yn torri coed tân ar fuarth Blaenplwyf Isaf, Aberangell, Gwynedd; tua 1939. (Llun: Casgliad Anne Jones)

byd. Er bod trydan a charthffosiaeth eisoes mewn trefi fel Abertawe yn y tridegau, yn y pumdegau ac wedyn y cyrhaeddodd y cyfleusterau hyn gartrefi'r Gymru wledig: yn 1956 yng Nghlynnog Fawr, medd Mary Hughes; 1962 yn Llansteffan yn ôl Betty Davies ac 1959 ym Mrechfa, lle'r oedd haearn smwddio, peiriant golchi dillad a thegell yn uchel ar restr y blaenoriaethau, medd un siaradwraig. Gwirionodd Gwyneth Williams, Rhydyclafdy, ar y trydan gwyrthiol yn 1958, ac âi 'rownd a rhoid switshis *on* ac *off*. Anhygoel.' Dyma oes yr hwfer a'r sosban *Prestige*, medd un siaradwraig, a disgrifia sut y cafodd ei chymdogion yn Nhyn-y-gongl, Benllech, eu dychryn gan y dyfeisiadau gwyrthiol, newydd hyn.

Cyfeirir at ba mor anodd oedd hi i bâr ifanc gael cartref ar ôl priodi. Rhaid oedd rhannu gyda'r teulu'n fynych, ond fel y rhybuddia Eirwen Jones, Tan-y-fron, 'wnaiff dwy ddynes ddim o dan yr un to'. Dyna brofiad Sarah Thomas, Porth Amlwch, hefyd, 'Faswn i byth, byth yn leico gwneud yr un peth eto... Mae pawb isio indipenans, 'tydyn?' Roedd mynd i 'rŵms' yn opsiwn arall. Cartrefodd Margretta Cartwright a'i gŵr gydag athrawes yn Llanidloes yn 1952. Roedd ganddynt ddwy ystafell i'w hunain ond rhannent gegin â'r perchennog. Pan lwyddodd Mareth Lewis, Cwrtnewydd, i gael tŷ cyngor a symud o rŵms, 'O'n i'n credu bo fi wedi cael Buckingham Palace', meddai. Wedi'r Rhyfel adeiladwyd *prefabs* ac roedd Kitty Williams, Dihewyd, ar ben ei digon pan sicrhaodd un o'r rhain. Roedd popeth yn 'lyfli' ynddo ac 'o'n i'n *rich*', tystia; 'Wedech chi, i weld nhw o'r tu fas, "O jiw, 'na beth yw hen sied" ond 'sech chi'n mynd mewn iddyn nhw, O!' Profiad gwahanol iawn gafodd Elizabeth Phillips, Llanboidy a brynodd ei chartref ei hun yn 1950 am £4,000. Dim ond dau gwmni oedd yn fodlon rhoi morgais i fenyw sengl bryd hynny, meddai, sef *Halifax* a'r *Church of England Mortgage Society*. Yn ôl y gyfraith roedd yn rhaid cael llofnod a gwarant dyn cyn y câi menyw forgais.

Un agwedd na ellir ei hosgoi yn y cyfweliadau yw'r disgrifiadau o dlodi affwysol, hyd at ddiwedd yr Ail Ryfel Byd. Taflai'r Rhyfel Byd Cyntaf ei gysgod dros y cyfnod cynnar. Dioddefodd iechyd tad Gwerfyl Davies, Llanfairfechan, yn ei sgil, 'Dwi'n gwbod be 'di tlodi', meddai, a disgrifia rannu wy wedi'i ferwi gyda'i thad. Effeithiodd Streic Gyffredinol 1926 yn ddifrifol ar yr ardaloedd diwydiannol. Bu Margaret Griffiths, pan oedd yn hyfforddi'n athrawes, yn gweithio cawl i ddigoni plant pentref Pen-y-groes, Sir Gâr. Cofia'n arbennig haelioni siopwyr a phobl y wlad. Deuai coffi o Rwsia, meddai, ond doedd fawr neb yn ei yfed. Gwaethygodd a lledaenodd y dirwasgiad yn y tridegau. Yng Nghastell-nedd galwai prifathro'r ysgol Saesneg allan, '*Hands up the children whose fathers are out of work*', medd Mattie Lewis. Codai hanner y dosbarth eu dwylo a rhennid esgidiau a llaeth a chinio am ddim iddynt. Dioddefodd cefn gwlad yn enbyd yn ogystal am nad oedd marchnadoedd i'r cynnyrch. Fel y dywed Ann John, Llan-y-cefn, nid oedd gwerth ar unrhyw anifail, 'byddai waeth iddyn nhw fod wedi cnoco eu pennau pan ganed nhw', byddai hynny'n llai o gost na'u cadw. Cyfrannai marwolaeth neu salwch rhiant yn enfawr at drueni teulu, yn enwedig gan fod hawlio *compo* mor eithriadol anodd. Cynhaliwyd *post mortem* ar dad Gwen Parry Jones, Pen-y-ffordd, a fu'n löwr yn y Parlwr Du, ar fwrdd y gegin ddiwedd y pedwardegau ond er bod ei ysgyfaint fel 'dau lwmp o lo solat' honnwyd yn y cwest mai trawiad ar y galon a'i lladdodd nid clefyd y llwch.

Gweddwon a'u teuluoedd oedd yn dioddef waethaf. Cafodd mam-gu Olive Campden, Dre-fach Felindre, ei gadael yn widw â saith o blant bach yn y dauddegau a rhaid oedd troi at gynhaliaeth o'r plwyf. Pan ymwelodd Dafi Cwm Coi, arolygwr y plwyf, â'r cartref, gwelodd jam a chaws ar y ford, a thorrodd ar yr arian plwyf. Magwyd Beryl Enoch, Llanfair, Llandysul, ar y plwyf a cherddai ei mam i ben yr heol i dderbyn yr arian am nad oedd yr arolygwr eisiau cerdded i'w chartref tlawd. Byddai plant yr ysgol yn ei bwlian yn ei thlodi. Gwaeledd ei thad roddodd deulu Theresa Evans, Garnfadrun, ar y plwyf yn y pedwardegau, fel y dywed yn deimladwy:

> Oeddach chi'n gw'bod bod chi'n dlawd... Oeddan ni'n ca'l be oeddan nhw'n alw yn *National Assistance* a fydda 'na ddyn yn dod rownd bob hyn a hyn i weld o'dd Dad yn gweithio. Y cof mwya ofnadwy sgen i – Mam yn dangos sgidia 'mrawd iddo fo a mi o'dd gwadan yr esgid wedi ffarwelio â'r top...

Ar ddiwrnod y *scholarship* yn Ysgol Botwnnog, meddai, doedd ganddi ddim *fountain pen*, dim ond nib, a chuddiodd amser chwarae rhag i'r plant eraill sylwi gymaint roedd ei sgert wedi'i thrwsio. Bu'n rhaid i fam Ellen Evans, Dolgellau, hithau, lenwi ffurflen Cyngor Plwyf i gael cymorth i dalu am wisg ysgol iddi ac roedd 'elfen go gref o gywilydd' yn hynny. Brwydro yn erbyn rhagfarn prifathro ynglŷn â'i haddysg wnaeth mam Pegi Lloyd, Llansamlet. Tynnodd ef Pegi o'r dosbarth *scholarship* gan faentumio, '*Well, you couldn't afford to send her to Swansea – to buy*

Hel calennig ar ddydd Calan yn ardal Trefeurig, Ceredigion yn yr 1960au. Erbyn y cyfnod hwn arfer gwerin oedd hel calennig a doedd dim stigma tlodi yn perthyn iddo. (Llun: gwefan Trefeurig www.trefeurig.org)

the clothes and things.' Ond sbardunodd hyn ei mam i gynilo o'r £3 y mis o iawndal a gâi o farwolaeth ei gŵr a thalu i Pegi fynd i Clerks' College, Abertawe, i ddysgu llaw-fer a theipio.

Un ffordd i leddfu peth ar y tlodi oedd hel calennig ar Ddydd Calan. Cofier mai cardota caniataëdig, cymeradwy oedd swyddogaeth wreiddiol yr hen arfer gwerin hwn. Cerddai Blodwen Griffiths ryw ugain milltir

Tair chwaer: Enid Lloyd, Ceridwen Dilys a Margaret Gwenonwy Morgan yn mwyara – efallai yn ardal Meifod neu Drefeglwys, Powys; tua mis Medi 1921 neu 1922. (Llun: Casgliad Ceridwen Lloyd-Morgan)

i gasglu calennig yn ardal Ffair-rhos yn y tridegau ac yna âi ei mam â'r plant at y crydd i brynu esgidiau hoelion mawr iddynt. Dathlu'r Hen Galan a wnâi May Davies yng Nghwm Gwaun, ac roedd geiriau'r gân a genid, 'Rhowch yn hael i rai gwael' yn adlewyrchu gwir ystyr y 'cardota' hwn. Nid oedd cysgod y wyrcws wedi llwyr ddiflannu ychwaith, ym mhrofiad Mair Garnon James yn Llandudoch yn y tridegau. Plant amddifad oedd yno'n bennaf a hawdd fyddai eu hadnabod oherwydd eu gwalltiau byrion; byddent, meddai, yn eu trueni yn gofyn iddi hi am galon ei hafal. Plant o gartref plant yng Nghorwen a dynnodd sylw Eurwen Jones yn blentyn ysgol yn y dauddegau, a hynny am eu bod yn dod i'r ysgol mewn sachau ac yn ddulas oherwydd eu cam-drin yn y cartref. Ceir un neu ddau gyfeiriad at greulondeb yn y cartref yn y cyfweliadau hefyd. Magwyd ambell siaradwraig gan lysfam greulon, a oedd 'yn hêto'ch gyts chi', chwedl gwraig o Geredigion. Roedd pliwrisi arni ond byddai ei llysfam yn taflu ei thabledi ymaith. Bu hi dan ofal yr NSPCC am gyfnod.

Dywed sawl siaradwraig fod disgyblaeth lem yn y cartref a gwialen fedw yn hongian o'r silff ben tân. Yn ôl Elizabeth Williams, Tredegar Newydd, ei mam fyddai'n disgyblu ond credai na wnaeth blas y wialen fedw ddrwg i unrhyw un erioed. Tystiodd sawl un na chawsai gusan na choflaid gan ei rhieni, 'doeddan nhw ddim yn dangos teimladau... doedd dim amser ganddyn nhw,' meddai Eirwen Jones, Tan-y-fron, ac felly hefyd Gwen Parry Jones, Pen-y-ffordd, 'fyddai (ei mam) byth yn gallu... rhoi sws i chi a cydls – doedd hi ddim wedi cael hynny ei hun.' Pa mor gynrychiadol oedd yr agweddau hyn, anodd gwybod, gan na ofynnwyd y cwestiwn hwn i bob siaradwraig.

Eto, er gwaetha'r cysgodion hyn, i fwyafrif y menywod a holwyd, geiriau Mary Vaughan Jones, Llanrug, sy'n crisialu eu profiadau orau, 'Fuon ni 'rioed yn brin o fwyd. Prin o arian w'rach, ond prin o fwyd, naddo.' Roedd plannu gardd â llysiau a ffrwythau, cadw mochyn ac weithiau fuwch a chasglu cnydau gwyllt fel mwyar duon, llysiau duon bach a chnau yn fendith aruthrol. Roedd ofn syrthio i ddyled yn real iawn, fel y tystia sawl siaradwraig. Byddai disgwyl mawr bob blwyddyn am ddifidend y Co-op. Yn Neiniolen, medd Alice Griffiths, roedd wyth cant o aelodau a chiwio am y difidend ac yng Ngors-las, lle gweithiai Eirlys Phillips, roedd rhannu'r difidend yn bleser pur gan mor ddiolchgar y cwsmeriaid. Prynu siwt smart ar gyfer Cymanfa'r Groglith wnâi mam Gwen Jones, Bryn, Port Talbot, â'r difidend bob blwyddyn, ac roedd hynny'n '*big thrill*'.

O safbwynt dillad, pur anaml y ceid dillad newydd. Dillad ar ôl eraill, wedi eu haddasu, weithiau gan wniadwraig grefftus, fyddai'r norm. Crisiala Eleanor Holland, Bethesda, agweddau'r cyfnod, 'er bod ni'n cael dillad ar ôl rywun – fyddwn i byth yn teimlo cywilydd o'r peth... achos mi roedd pawb yn yr un sefyllfa.' O'r herwydd, efallai, nid oes llawer o sôn am ffasiwn yn y cyfweliadau. Cyn yr Ail Ryfel Byd, medd Beti Eurfron Hughes, Dyffryn Nantlle, 'O'dd mêc-yp yn dabŵ adra – doeddan ni'm i fod. Os fydda isho rhoid mêc-yp, o'n i'n denig wedi rhoid peth... Na, doedd 'y Nhad ddim yn lecio os o'n i'n rhoid mêc-yp.' Dywed hefyd fod neilonau yn brin iawn yn y cyfnod ond bod ei mam yn cael rhai oddi wrth berthynas yn America. Gan eu bod mor werthfawr aent â nhw i drwsio *ladder* i siop yng Nghaernarfon. Roedd hi'n dipyn o her sicrhau bod semau'r sanau yn syth, a gofyn Gwyneth Williams, Rhydyclafdy, 'Sawl gwaith sbïon ni i edrach oedd y *seam* yn *straight?'* Er gwaetha'r prinder a'r ffaith i ddogni dillad barhau tan 1949, llwyddodd ambell siaradwraig i gael dilledyn *New Look* Christian Dior, â'i sgert hir, llawn defnydd. Roedd Mattie Lewis, Clunderwen ar ben ei digon pan gafodd siwt *New Look going away* at ei phriodas yn 1949. Uchelgais arall yn y pumdegau oedd cael siwt frethyn *Hebe Sports*, fel y noda Beti Lloyd, Llangrannog, neu sgert *dirndle* gwmpasog a sgidiau stiletos i gyd-fynd â hi. Dyma gyfnod dechreuadau roc a rôl a chofia sawl siaradwraig yn dda am ddylanwad y grŵp *Bill Haley and the Comets* a gwisgo esgidiau stiletos 'o fore gwyn tan nos'. Er bod gwisgo trowsus wedi dod yn reit dderbyniol adeg y Rhyfel, nid felly yn y blynyddoedd wedyn. Yn ôl Gwyneth Williams roedd trowsusau yn dal 'yn anghyffredin iawn' a thuedd i'w cysylltu â merched 'comon'. Roedd bri mawr ar brynu dillad o gatalogau J D Williams, Oxendale a Pryce-Jones, y Drenewydd, gan adleisio prynu ar y we heddiw. Yn anffodus, does dim llawer o sôn am effeithiau'r sgert fini, y colur du a'r gwallt cwch gwenyn a ysgubodd trwy Brydain yn y chwedegau hwyr afieithus. Siaradwraig o Lundain, Glenys Morris, sy'n cofio orau oes y tedi bois 'yn swagro o gwmpas efo'u *beetle crushers,* sgidia efo gwadan dew, dew; gwallt wedi'i oelio'n ôl, cotiau *Edwardian* hir' a hithau yn ei sgert fini yn mynychu'r Clwb Cymraeg tan oriau mân y bore yn y ddinas fawr.

Mae sawl siaradwraig yn sôn am effeithiau difrifol salwch ar eu teuluoedd. Fel y dywed Ann Williams, Rhos-meirch, 'Ma gwaeledd yn drysu'r tŷ i gyd', yn enwedig gan y byddai'n rhaid talu am feddyg, cyn dechrau'r Gwasanaeth Iechyd Gwladol yn 1948. 'Oeddach chi'n meddwl lawar gwaith cyn galw doctor am bod isho talu', eglura Nancy Byrne, Nefyn, a thystia Catherine Williams, Llanfairfechan, mai ryw saith swllt a chwe cheiniog y tro, swm sylweddol ar y pryd, oedd y gost yn y dau- a'r tridegau. Eto, doedd neb yn grwgnach am dalu, yn ôl Mary Davies, Y Foel, oherwydd deuai eu meddyg nhw, Dr Milton Jones, Llanfair Caereinion, allan atynt ddydd neu nos a châi ŵydd ganddynt bob Nadolig yn fonws. Yn y cyfnod hwn roedd ardaloedd yn casglu i dalu am Nyrs Ardal. Deuai'r nyrs hon trwy'r *Nursing Association*, medd Bronwen Jones, sir Drefaldwyn, a'i thad oedd cadeirydd y pwyllgor trefnu. Codai ef a'i mam bres i dalu ei chyflog, ei gwisg a'i beic, ac yna ei char, a galwai'r nyrs yng nghartref Bronwen bob wythnos i dderbyn ei thâl.

I arbed costau meddyg, dibynnai llawer ar feddyginiaethau gwerin. Mae cyfrol werthfawr Anne Elizabeth Williams, *Meddyginiaethau Gwerin Cymru* (Y Lolfa, 2017), yn ymdrin yn drylwyr â'r maes hwn ac felly dim ond rhoi rhywfaint o flas y sgwrsio a wneir yma. Ceir sawl cyfeiriad at 'gael eu gwitho' gan 'senna', neu roi saim gŵydd mewn hosan i leddfu gwddf tost a chofia Alwena Thomas, Llannerch-y-medd, fynd i Amlwch i anadlu gwymon i helpu at y pâs. Trochi wadin yn eich dŵr eich hun oedd yn dda i bigyn clust, maentumia siaradwraig o Langoed, Ynys Môn, a gwelodd Mattie Evans, Pencarreg, osod gelod ar lygad heintus ei thad. Ei gwaith hi oedd eu dal mewn pot jam wrth iddynt syrthio ymaith! Roedd ambell siaradwraig yn hyddysg iawn yn y maes hwn ac yn rhoi cryn goel ar y meddyginiaethau gwerin a ddefnyddid.

Y dyciâu, y dycléin, y ddarfodedigaeth, neu'n ôl yr enw mwyaf cyffredin *TB*, oedd y bwgan pennaf rhwng 1920 ac 1960. Un ar bymtheg oedd Mary Beynon Davies, Pwllheli, pan loriwyd hi â'r aflwydd yn 1931. Gorchmynnwyd iddi 'roi ei llyfra i gyd yn y drôr' gan y meddyg. Penderfynodd ei mam weddw ei gwella gartref trwy feddyginiaethau fel llyncu pedwar wy heb eu curo bob dydd ac yfed llaeth berw â siwed yn 'llygada melyn dros ei wynab'. Roedd stigma a chywilydd yn perthyn i'r haint hwn oherwydd ei gysylltu â thlodi a diffyg maeth. Anfonwyd mwyafrif y cleifion eraill a holwyd i sanatoriwm a gallai'r driniaeth fod yn ddidostur. Disgrifia May Davies, Cwm Gwaun, a siaradwraig arall o Sanclêr, gael eu hanfon i Ddinbych (sanatoriwm Llangwyfan, mae'n debyg) yn 1949 a'u rhoi mewn plastr, siâp eu cyrff. Gorfodid hwy i orwedd ar eu bol, 'ddim yn gallu mudo' a chael pelydr X bob tri mis. Fel y dywed May 'wê tri mis yn sbel hir, wê chi'n torri'ch calon'. Bu'r ddwy'n orweiddiog am flwyddyn a hanner a dim ond bob pythefnos y llwyddai eu gŵyr i ymweld â nhw am fod Dinbych mor bell. Pan ddaeth May adref doedd ei phlant pedair a chwech oed ddim yn ei hadnabod. Bu Nancy Byrne yn Llangwyfan am ddeg mis a chofia'r 'hiraeth ofnadwy...

Oeddwn i'n crio. Do, mi grïesh lawar iawn yn Llangwyfan.' Bu pigiadau gwrthfiotig, yn enwedig o'r cyffur streptomycin wedi 1951, yn fendith aruthrol i waredu'r salwch difrifol hwn. Ond eto, teimlai Nan Lewis i'r cyffur ei hun ei pharlysu wedi llawdriniaeth yn Ysbyty Treforys yn 1967. Bu'n gyfnod 'dychrynllyd o anodd', meddai, ac 'aeth blwyddyn o mywyd i lle weles i fawr o'r plant.' Tair oed oedd siaradwraig o Bencader pan ddatblygodd chwarennau'r dycléin a'i hanfon i St Bride's, ger Marloes. Cyrhaeddodd yno, honna, yn siarad Cymraeg ac yn cerdded ond daeth allan yn Saesnes a oedd yn methu cerdded. Gwaith Ifanwy Williams, yn weithwraig gymdeithasol yng Nghaernarfon yn y pedwardegau hwyr, â *TB* yn rhemp yn ardaloedd y chwareli llechi, oedd helpu teuluoedd lle'r oedd penteulu di-waith oherwydd salwch i gael grant trwy'r Swyddog Meddygol a dadlau achos y rhai dan amgylchiadau arbennig. Meddai, 'Dyna beth oedd yn boen arna i – bod chi'n gorfod gwrthod rhai ac esbonio iddyn nhw pam oedden nhw'n cael eu gwrthod.' Afiechyd difrifol arall oedd y dwymyn goch a sonnir am fygdarthu'r tŷ i gael gwared â'r haint. Pan drawyd Dora Griffiths, Maes-y-bont â'r dwymyn tua 1940 anfonwyd hi i ysbyty Mynydd Mawr ac ni châi ymwelwyr o gwbl rhag lledu'r haint. Ymosododd difftheria ar bentref Trefor yn 1936, medd Beryl Roberts, gan ladd un ferch fach, ond yn sgil hyn, sicrhawyd cyflenwad o ddŵr glân a lle chwech ym mhob tŷ.

Ychydig o sôn sydd am iechyd meddwl yn y cyfweliadau. Eto, fel y tystia Gwinnie Thomas, Meidrim, roedd 'lot i ga'l ond bo'n nhw ddim yn ca'l dod i'r golwg. O'n nhw'n trial cuddio nhw. A o'dd plant bach yn ca'l 'u geni ddim yn reit, o'n nhw cuddio'r rheiny 'lŵeth.' Mae Ellen Hughes, Llanddeusant, Môn, yn crynhoi agweddau'r cyfnod, 'Ddim yn gall oeddach chi ers talwm – dyna'r ffaith.' Disgrifia ei mam yn dioddef o ddementia, pwnc gaiff sylw teg heddiw, ond yn y chwedegau cynnar, meddai, roedd yna ymdeimlad o gywilydd a phwysau mawr ar ei hysgwyddau a neb i helpu. Felly hefyd brofiad Margaret Davies, Beulah, y bu ei brawd yn dioddef o sgitsoffrenia gydol ei fywyd, 'Roedd stigma yn perthyn i salwch meddwl bryd hynny a doeddech chi ddim eisiau dangos fod un o'r teulu "*off* 'i ben". Roedd hyn yn groes i'w chario.' Iselder ysbryd oedd yn llethu mam siaradwraig arall a byddai'n dioddef o'r aflwydd ryw deirgwaith y flwyddyn, yn enwedig dros y Nadolig. Cofia ddod o'r ysgol un diwrnod a'i mam ddim yn ei hadnabod o gwbl.

CAMEO

Ray (Rachel) Evelyn Samson

Mae bywyd cynnar **Ray (Rachel) Evelyn Samson** (Tre-lech, 1920-2017) yn adlewyrchu rhai o brofiadau mwyaf dwys a dyrys 'byw a bod'.

Bu farw mam Ray wrth eni baban ac o'r dycléin pan oedd hi'n fach a chofia fynychu ei hangladd hi ac angladd y baban mewn ffrog ddu â botymau gwynion i lawr y blaen. Cofia lefain dros y coffin a'i thad yn dweud wrthi am adael llonydd i'w mam gysgu. Chwalwyd y cartref ac anfonwyd hi i fyw at un fam-gu a'i chwaer at y fam-gu arall.

Ond ailbriododd ei thad a daeth Ray i fyw ato ef a'i llysfam yn Alltwalis. Ganwyd saith o blant o'r briodas hon ac oherwydd prinder arian, Ray fyddai'n gorfod aros gartref o'r ysgol i helpu gyda'r genedigaethau. Collai dair wythnos o ysgol bob tro y genid baban newydd a galwai'r *whipper in* i ofyn ble roedd hi. Dywed Ray ei bod yn deall popeth am enedigaethau o oedran cynnar gan y byddai'n gorfod golchi a stilo'r shîts a'r cwiltiau ar ôl pob genedigaeth.

Yn ddeg oed âi allan i weithio ar fferm ym Mhencader. Roedd yn falch cael mynd yno a chael digon o fwyd bob dydd. Câi swllt a thorth a phisyn o gaws am olchi'r lloriau fflagiau ond ar ôl mynd adref roedd yn rhaid rhoi'r arian ar y bwrdd. Yn ffodus, bu'r Mistir yn yr ysgol yn garedig iawn wrthi. Rhoddodd e bâr o glocsiau melyn pert iddi un diwrnod yn lle'r esgidiau cynfas â thwll yn eu gwadn a wisgai. Fyddai hi ddim yn mynychu unrhyw gapel am nad oedd ganddi ddillad addas, meddai.

Doedd dim llawer o lun ar fwyd yn y cartref. Prin iawn y caent gig o unrhyw fath, dim ond bara te a bara dŵr, gyda sinsir i'w flasu, a oedd 'yn dda i golli pwysau', hawlia'n eironig. Doedd dim dŵr rhedegog na thrydan yn y tŷ â tho sinc a hi fyddai'n cario'r dŵr ar draws parc o'r ffynnon. Roedd mynd am wyliau'n ôl at ei mam-gu yn bleser pur. Roedd honno'n gwneud 'cawl ffein iawn, iawn' ac yn rhoi dillad iddi. I gael rhywfaint o arian parod, byddai Ray yn casglu llysiau duon bach i'w gwerthu am chwe cheiniog y peint ym marchnad Caerfyrddin.

Ray yn derbyn plât 'Halen y Ddaear' gan Heno, *1997.*

Un o ddiwrnodau mawr ei bywyd ifanc oedd pan enillodd wobr o £1 gan y *Western Mail* am ysgrifennu traethawd am 'Fy Sir' a gweld poster mawr wrth siop Alltwalis yn datgan '*Alltwalis winner in essay competition*'. Yn wir, roedd wrth ei bodd yn darllen, ysgrifennu a barddoni. Ond gadael yr ysgol yn 14 oed fu raid, 'Pwy obeth o'dd, gyda'r tlodi o'dd gyda ni ar yr aelwyd?' gofynna a bu'n gwasanaethu ar ffermydd am dros ddeng mlynedd. Ymfalchïai'n fawr iddi gael pâr o garthenni'n fonws am aros ar yr un fferm am saith mlynedd.

Er bod y gwaith yn galed, câi ryddid yn awr i fynychu capel a Chymanfa Ganu. Yn 1945 priododd a chael ei chartref a'i theulu haeddiannol ei hun, o'r diwedd.

Pennod 2
ADDYSG ac YSGOLIA

Cafodd addysg neu ddiffyg addysg effaith enfawr ar fywydau'r menywod a holwyd ac roedd agweddau ac amgylchiadau eu rhieni yn allweddol wrth wneud penderfyniadau pwysig, megis p'run ai i sefyll y *scholarship* o gwbl, neu fynd ymlaen i goleg neu yrfa arbennig. Un gred sylfaenol oedd bod addysgu meibion yn bwysicach nag addysgu merched. Fel y dywed Jennie Eirlys Williams, Deiniolen, 'yr amser hynny y dynion oedd yn bwysig dim y merchaid, achos oedd y merchaid i fod i fynd i watsiad ar ôl y tŷ, toeddan, a'r dynion i fod i ennill wrth gwrs, er mwyn iddyn nhw gael rwbath heblaw chwarel'. Cofia Gwen Parry Jones, Pen-y-ffordd, ewyrth yn dod i'w chartref ac yn dweud wrth ei mam, 'Pam wyt ti'n gadal i hon fynd i'r coleg? Wast fydd o.' Hyd yn oed pan oedd mamau yn cefnogi addysgu eu merched, cyfiawnhaent hynny trwy gyfeirio at eu rôl ddisgwyliedig yn famau'r dyfodol. Clywodd Nesta Jones, Llandygái, chwaer ei mam yn ei rhybuddio nad oedd gwerth addysgu Nesta, oherwydd 'neith hi ddim byd ond priodi yn y diwedd'. Ateb parod ei mam oedd, 'Wel, neith hi well mam', gan adleisio'r gred, 'Os chi'n ysgolia merch, chi'n ysgolia teulu', chwedl Olwen Parry, Llanwrda. Ateb tebyg a dderbyniodd mam Erinwen Johnson, Gwytherin, pan edliwiodd ei ffrindiau iddi, 'Mary, pam na phrynwch chi got newydd yn lle rhoi addysg i'r merched 'ma?... Gwneud eich hun yn dlawd trwy roi addysg iddyn nhw... 'Wnan nhw ddim byd ond priodi a chal babis. Fydd o dda i ddim iddyn nhw', ac ateb herfeiddiol ei mam 'Wyddoch chi be? Fe wnân nhw well rhieni.' Ond cymhelliad mwy allgar a yrrai uchelgais mam Jenny Davies, Llanberis, 'O'dd mam yn gredwr mawr... mai'r unig ffordd i ddianc rhag tlodi yw addysg. "Allwch chi golli'ch arian dros nos, ond chollwch chi byth mo'ch addysg", meddai.'

Roedd dyddiau'r ysgol gynradd yn dwyn atgofion digon cymysg. Ar y naill law, disgrifir y dulliau addysgu 'whare gyda tywod mewn bocs a pishyn o bren i neud patryme a dysgu neud llythrenne â blocs bach', yn ysgol fach Yr Allt-wen ag anwyldeb gan Eurwen Bowen, a chawn sawl darlun o'r rhyddid a'r addysg a geid wrth gerdded i ac o'r ysgol, gan ddod i 'nabod bob blodyn, bob deryn, bob coeden... byta llus, byta mefus, cnau, cabetsh – bob dim', ym mhrofiad Mair Roberts, Capel Garmon. Roedd y daith o ddwy filltir a hanner adre o Ysgol Llanddeiniol tua 1940 yn llawn rhamant i un siaradwraig:

> Oedd o'n rhyfygus a dweud y gwir pan dwi'n meddwl am iechyd a diogelwch... bydden ni'n croesi'r afon – cerrig y rhyd... fydden ni'n cronni'r nant... fydden ni'n cyrraedd adre'n hwyr a neb yn gofidio – byth yn cael stŵr.

Ond roedd modd gwlychu at y croen ar dywydd anhydrin, a gorfod tynnu sanau a hyd yn oed ffrogiau i'w sychu wrth y tân yng nghanol yr ystafell ddosbarth, yn Ysgol Trawsfynydd yn y dauddegau.

Clywir sawl islais o feirniadaeth. Sonnir am ddefnyddio'r gansen i ddisgyblu merched yn ogystal â bechgyn. Dyna fu profiad Nesta Edwards bump oed, a hynny am dorri'r *safety ink bottle*, yn Ysgol Llanllwchaearn yn y tridegau, tra dioddefodd Eirlys Thomas, Llyswyrny, yn enbyd bob tro y byddai sym anghywir yn ei llyfr, 'Wham! Wham! Wham!... Tri strôc am bob marc ar dy lyfr di'. Am ysgrifennu â'i llaw chwith y derbyniai un disgybl slap yn Ysgol Llangoed tua 1910 ac roedd cosbi am y camwedd tybiedig hwn yn gyffredin tan y pumdegau.

Gwahaniaethid rhwng gwersi addas i fechgyn ac i ferched. Yn Ysgol Beulah yn y pedwardegau, medd Margaret Davies, deuai gwraig i'r ysgol i roi gwersi moesau i'r merched a'u goleuo am beryglon yfed, 'a o'dd dou wydyr 'da hi a mwydyn yn bob gwydyr a o'dd hi'n rhoi dŵr a'r mwydyn bach yn mwynhau'i hunan, a wêdd hi'n rhoi *alcohol* a wêdd y mwydyn yn marw – o flaen ein llyged ni.' Yr orfodaeth i ddysgu gwnïo, tra bod y bechgyn yn dysgu garddio neu waith coed a âi o dan groen ambell un, 'O'n i wastad yn genfigennus o'r bechgyn,' meddai Eurwen Bowen eto, yn enwedig gan nad oedd yn wniadwraig dalentog. Gwnaeth bâr o nicers â'r pwythau ynddo yn ddigon mawr, chwedl ei mam, i'w gweld o ben mynydd Gellionnen!

Ond roedd gwersi coginio a *housewifery* wrth fodd calon nifer ohonynt. Yn Ysgol Pont-y-gof, Botwnnog, caent hyfforddiant trylwyr mewn gwaith tŷ, meddai Mair Price, 'dysgu sgwrio yn iawn – rhannu'r bwrdd yn bedwar, dod â'ch dysgl a'ch cadach llestri a brwsh sgwrio a sebon... wedyn dechrau yn y gongol bellaf, sgwrio efo dŵr, rinsio wedyn a'i ail-wneud o'n lân. Gwneud y pedair ochr 'lly, a fydda pawb efo *pride* yn 'i waith.' Roedd *Housecraft* yn rhan greiddiol o'r cwricwlwm i ferched. Cadarnheir hyn gan Euron Owen, oherwydd bu hi'n dysgu blac-ledio grât, coginio sgons a

Dosbarth coginio'r merched hŷn, i'w haddysgu i fod yn famau a morwynion, yn Ysgol Gynradd y Ffôr, ger Pwllheli; tua 1920. (Llun: Casgliad Nancy Williams / Buddug Johnson)

golchi a manglo dillad i'w 'pharatoi ar gyfer bywyd cartref' yn Ysgol Pencae, Penmaenmawr yn y tridegau. Roedd trwytho merched mewn pynciau 'benywaidd' cyfyng o'r fath yn eu paratoi i fod yn famau a gwragedd tŷ da, ac nid i fod yn ddinasyddion cyflawn. Roedd ideoleg y cartref yn dal mewn grym ym myd addysg hyd at ddechrau'r chwedegau o leiaf.

Wrth ymdrin â phynciau llosg, megis iaith yr addysgu, does dim un ymateb sy'n crisialu profiadau pawb. Canmoliaeth a rydd Sylvia Rees i Ysgol Birchgrove, Abertawe, yn y tridegau. Dysgai'r athrawes, Doris Evans, gerddi fel 'Y Sipsi' gan Crwys a 'Gwenoliaid' T Gwynn Jones iddynt a thystia Myfanwy Jarman ei bod yn gwybod cant a hanner o englynion a sonedau yn ddisgybl deg oed yn Ysgol Eglwys Llangefni. Roedd Ifor Owen, prifathro Ysgol O M Edwards, Llanuwchllyn yn trwytho ei ddisgyblion yn hanes Cymru hefyd, pwnc a gâi ei anwybyddu bron yn ysgolion Cymru yn hanner cyntaf yr ugeinfed ganrif.

Ond ymddengys mai eithriadau oedd y rhain. Doedd dim gair o Gymraeg yn ysgolion cynradd Llangybi, Sanclêr, Llanfihangel-yng-Ngwynfa,

Llanddewi Felffre nac Aberhosan yn ôl tystiolaeth y siaradwyr, ac yn yr ysgolion eglwysig rhoddid bri ar ddysgu'r catecism a'r credo yn Saesneg i'r disgyblion uniaith Gymraeg. Rhyw ugain munud bob prynhawn dydd Gwener oedd cwota disgyblion Ysgol Aberdâr o Gymraeg, medd Nans Davies, a digon tebyg oedd y sefyllfa yn Licswm yn ôl Mary Roberts:

> Ysgol o dri athro, y tri ohonyn nhw yn bobl dda, ac yn Gymry da, ac o'n 'im yn dysgu gair o Gymraeg. Ddysges i 'rioed 'run gân werin na dim byd yno, ond rhyw bethe fel '*Oh, no John, no John, no John, no*', a '*On yonder hill there stands a creature*'... ac un wers yr wythnos mewn Cymraeg, 'Y mae'r pot inc ar y bwrdd', 'Lle mae'r pot inc?' 'Ar y bwrdd.' A ninna'n Gymry! Tystia ambell siaradwraig fod cosb am siarad Cymraeg. Derbyniodd Dilys Clement 'gwpwl o glowts' am siarad Cymraeg ar iard Ysgol Craig-cefn-parc, tua 1928, a honna Jane Jones Roberts i'w ffrind orfod gwisgo'r *Welsh Not* am fentro siarad Cymraeg ar ddydd Iau (diwrnod di-Gymraeg, fe ymddengys) yn Ysgol Trefor yn y tridegau.

Byddai ymweliadau'r deintydd a'r nyrs ysgol yn torri ar undonedd yr addysg. Unwaith y flwyddyn y deuai'r deintydd i Ysgol Llan Ffestiniog yn y pedwardegau, yn ôl Gwenda Lloyd Jones, 'a'r *thrill* oedd cael mynd 'n dôl i'n sêt i ista a pot jam a dŵr yno fo ar y ddesg, a poeri gwaed i hwnna.' Yna, deuai'r nyrs a'i gorchymyn '*Heads down*' i edrych eu pennau. Bu Beti Griffiths yn gweithio fel '*Nitty Nora*' o gwmpas ysgolion Abertawe yn y pumdegau ac roedd stigma tlodi mewn cael gwallt yn llawn nedd.

Yn ddi-os diwrnod y *scholarship,* neu'r 11+ ar ôl pasio Deddf Addysg 1944, oedd diwrnod mwyaf tyngedfennol addysg bron bob siaradwraig. Cafodd rhai eu cyflyru i gredu nad oedd ganddynt y gallu i ymdopi â'r arholiad o gwbl. Roedd Betty Davies yn 'rhy dwp' meddai, i sefyll yr arholiad yn y tridegau yn Ysgol Eglwys Llangynog a chredai Catherine Williams, Llanfairfechan, 'nad o'n i ddigon da' i fentro. Gwrthododd ambell un y cyfle, am nad oedd ganddynt uchelgais addysgol, fel yn achos Joyce Phillips, Ffynnon-groes, a ysai am adael yr ysgol i weithio ar y fferm. Ymddengys mai'r 'mishtir' neu'r prifathro (gwrywaidd ym mhob achos bron) oedd y dylanwad pennaf. Pan ddwedodd y prifathro wrth Marion Thomas, Hendy-gwyn ar Daf, nad oedd gobaith yn y byd ganddi hi basio, braf fu gallu ei brofi'n anghywir. Mae'n arwyddocaol sut y dosberthid merched Ysgol Llan Ffestiniog, yn ôl Gwenda Lloyd Jones. Caent edafedd i wau sanau a dewisai'r athrawes y lliwiau. Câi rhai wau yn lliwiau'r ysgol sir, sef glas tywyll a melyn ac eraill yn lliwiau'r ysgol ganolradd, sef glas tywyll a choch. A gwireddid darogan lliwgar yr athrawes bob tro!

Bu'n rhaid i nifer o'r siaradwyr aberthu eu dyheadau addysgol personol oherwydd salwch neu farwolaeth yn y teulu. Oherwydd bod ei brawd yn wael a'i thad wedi marw, ni safodd un siaradwraig yr arholiad na chael cyfle i fynd yn ei blaen o Ysgol Lledrod i Dregaron, er mawr ofid iddi. Os ceid cyfle, yna roedd *ennill* ysgoloriaeth yn bwysig. Dyfynna un siaradwraig eiriau ei rhieni, a hithau yn Ysgol Gynradd Blaenau Ffestiniog, 'Oeddan nhw'n deud, "Os gei di'r *scholarship* fydd ddim isho i ni dalu, a ma hwnna yn mynd i fod yn help mawr"', oherwydd bychan oedd cyflog ei thad yn weinidog. Dangosodd tad Mair Owen a enillodd ysgoloriaeth i Ysgol Sir Tregaron tua 1942, garedigrwydd eithriadol felly, gan iddo roi'r arian *scholarship* i helpu mab gwraig weddw leol, oherwydd, 'Ma mwy o angen e arni hi.'

'Y diwrnod mwya ofnadwy fu ar 'mhen i erioed' fu diwrnod y *scholarship* i Ceridwen Hughes, Rhostryfan. Mae'n debyg nad oedd natur Saesneg y papurau yn gymorth. Cofia Eunice Iddles geisio ysgrifennu traethawd ar '*The monotony of breakfast dishes*' neu '*The Perils of the Sea*'. Dewisodd yr olaf am nad oedd yn deall ystyr y cyntaf a'i bod wedi mynd 'ar ryw drip gyda Ysgol Sul i Ferryside a o'n i wedi bod gyda mrawd â motobeic ar *sands* Pendein'. Llwyddodd ac roedd wrth ei bodd i weld ei henw ymhlith 'y plant oedd wedi paso' yn y *Llanelli Star*. Crynai Mona Roberts, Amlwch, fel deilen, meddai, o ofn ei bod wedi methu, oherwydd roedd y *scholarship* yn golygu bod 'drws yn agor a drws yn cau' yn ei bywyd. Er bod Mair Jones hithau'n falch o'i gorchest yn ennill lle yn Ysgol y Merched Bangor, gwyddai ei bod yn 'gadal ffrind i mi ar ôl yn 'r ysgol – a honno'n crio', am iddi fethu. Anodd dirnad sut y teimlai disgyblion aflwyddiannus Rhostryfan wrth iddynt gario'r rhai llwyddiannus ar eu hysgwyddau i'w harddangos o gwmpas y pentref, yn ôl yr arfer lleol.

Nid oedd ennill ysgoloriaeth o reidrwydd yn ddigon yn ariannol i sicrhau mynd ymlaen i'r ysgol ramadeg, oherwydd byddai angen talu am lety, os oedd yr ysgol yn bell o'r cartref, am lyfrau ac am ddillad ac roedd hynny'n drech na llawer teulu. Llwyddodd Grace Jones a'i chwaer i basio'r ysgoloriaeth yn yr un flwyddyn o Ysgol Aber-erch ond gan i'w chwaer wneud yn well na hi ac na ellid fforddio i'r ddwy fynd yn eu blaenau, ei chwaer fynychodd yr ysgol ramadeg. Gwelwn stoiciaeth ryfeddol y merched hynny a aberthodd eu cyfleoedd addysgol. Cafodd chwaer iau a dau frawd

Eirlys Jones fynd yn eu blaenau i ysgolion uwchradd Dolgellau ond roedd ffi Ysgol Dr Williams yn ormod o faich i'w rhieni. Meddai, 'O'n i'n teimlo mod i 'di cael cam mawr, ond dyna fo, 'aru o ddim drwg i mi, dwi'm yn meddwl.' Darlunia Sally Evans, Felindre, Abertawe, yn fyw iawn ei siom aruthrol hi am na chafodd fynd yn ei blaen yn athrawes er pasio'r *scholarship*. Yn un ar ddeg o blant disgwylid iddi weini gartref ar ei theulu, 'a ma hwnna... wedi bod yn pwyso arno i drwy'r amser... cheso i ddim cyfle, do fe?' gofynna. Crisiala Glenys Owens deimladau cynifer. Er iddi basio i Ysgol Ramadeg Arberth, arall fu ei thynged, oblegid y gost:

> O'dd whant mynd yn rhifedd arna i. Ond fel o'dd hi radeg 'ny, o'dd hi fwy pwysig i'r bechgyn gal addysg na'r merched... gwaith merched o'dd bod gartre, cadw tŷ a priodi a cal plant a 'na jyst beth nes i. Ond o'dd whant rhifedd arna i i fynd yn nyrs...

Rheswm arall bennodd ffawd Nan Davies, Creunant. Enillodd hi'r marciau angenrheidiol i fynychu Ysgol Ramadeg Castell-nedd, ond doedd dim lle yno iddi. Yn y cyfamser, cafodd ei chyfnither lai o farciau na hi ond llwyddodd i gael lle yn Ysgol Maesydderwen gerllaw. Meddai, 'Roedd hwnna wedi gadael ei ôl, ond 'na fe, fel 'na oedd hi ar y pryd', ond honna hefyd, 'yn rhyfedd iawn, roedd y bobl oedd yn mynd i'r eglwys neu yn perthyn i'r Blaid Lafur yn llwyddo i ffindio lle.' Rhyddfrydwr oedd ei thad hi!

Methiant, stigma, siom a chywilydd - dyna'r geiriau a ddefnyddir i fynegi'r profiad o fethu'r *scholarship* neu'r 11+. Ystyriai Eirlys Thomas, Llyswyrny, ei bod yn '*write off*' ac ar y '*rubbish dump*' am iddi fethu. Yn wir, meddai, 'Dwi wedi methu trwy 'mywyd' a hynny ar sail canlyniad yr un diwrnod tyngedfennol hwnnw. Efallai mai Beryl Hughes, Capel Seion, sy'n mynegi'r loes hwn fwyaf croyw:

> Siom fawr i fi o'dd yr 11+ – methu – a mynd i Ysgol Eilradd Dinas, dim ond cofio bod e wedi bwrw fi fel ergyd o wn... O'n i'n teimlo'r siom yn un ar ddeg oed a fe sefodd y siom 'na gyda fi, wel wi'n credu bod e'n siom i fi hyd heddi...

Yn sicr roedd yr arholiad dadleuol hwn yn dieithrio a gwahanu ffrindiau ysgol gynradd, ac yn gallu achosi atgasedd a chenfigen mewn cymdogaethau.

Seisnigaidd oedd yr addysg uwchradd bron yn ddieithriad. Yn wir, gwnaethpwyd cam difrifol â'r iaith Gymraeg gan y system addysg uwchradd yng Nghymru hyd at y chwedegau hwyr o leiaf. Tystir drwodd a thro mai dim ond yn y gwersi Cymraeg y clywent Gymraeg o gwbl er bod mwyafrif y staff yn Gymry Cymraeg. Yn ôl Elinor Jones roedd 99% o athrawon a disgyblion Ysgol Sir Blaenau Ffestiniog yn Gymry Cymraeg yn y pumdegau ond Saesneg oedd yr unig gyfrwng dysgu. Mae sylw Mona Roberts, Amlwch, yn egluro agweddau'r cyfnod, 'Roedd Saesneg yn iaith a oedd yn fwy awdurdodol na Chymraeg yn y cyfnod hwn... Roeddynt yn derbyn mai Saesneg oedd iaith addysg, a dyna fo.' Cydnebydd Nesta Jones, fel y gwnâi sawl un a fynychodd ysgolion o'r fath, fod safonau *Bangor County Grammar School for Girls*, chwedl hithau, yn uchel, ond mai safonau Seisnig oeddent. Yn Ysgol John Bright, Llandudno, y cafodd Mari Ellis, Dylife, ei haddysg uwchradd ac 'mi roedd rhai athrawesau gwrth-Gymreig... yn sgornllyd iawn o ffordd oeddach chi'n siarad.'

At hyn, doedd fawr o statws i'r Gymraeg fel pwnc. Hyd yn oed yn y dosbarthiadau Cymraeg, ail iaith a gynigid droeon, fel yn achos Marged Lloyd Jones yn Ysgol Ramadeg Aberteifi yn y dauddegau. Ystyriai prifathrawes Ysgol Ramadeg Llwyn-y-bryn, Abertawe fod Sylvia Rees yn rhy ddeallus i astudio Cymraeg a mynnai iddi astudio Cemeg. Ond daeth

Dosbarth Bioleg yn Ysgol Brynhyfryd, Rhuthun; tua 1955. Yr athrawes, Gwyneth Pugh Jones, gyda disgyblion y chweched dosbarth – Eirlys Williams, Buddug Williams ac Ella Jones. (*Casgliad Gwyneth Edwards*)

tad Sylvia i'r ysgol i'w herio, '*Sit down, Miss Cameron,*' meddai, '*we are Welsh and if there's Welsh on the timetable... my child does Welsh.*' Ac felly y bu! Diolch byth felly am yr athrawesau Cymraeg ysbrydoledig a fu'n gefn i'r Cymry Cymraeg, athrawesau fel Mati Rees, 'gwifren fyw', medd Inez Thomas, Llanelli; Dr Kate Roberts yn Aberdâr a Mabel Parry ym Mangor.

Cyfyngid llawer gormod ar y pynciau gwyddonol a ddysgid i ferched, yn unol â rhagfarnau'r cyfnod am eu gallu ymenyddol. Tra bod y merched yn astudio Botaneg yn Ysgol Ramadeg Caernarfon câi'r bechgyn wersi Cemeg, meddai un siaradwraig, ond eto llwyddodd hi i fynd yn ei blaen i Goleg Fferylliaeth yn Lerpwl yn y tridegau. Petai wedi cael astudio mwy o bynciau gwyddonol gallasai fod wedi mynd yn feddyg. Uchelgais Brenda Wyn Jones oedd bod yn feddyg hefyd, pan oedd yn Ysgol Sir Bethesda, ond teimlai nad oedd yr athrawon (dynion) yn diddori mewn dysgu gwyddoniaeth i enethod. A beth am wersi rhyw a ffeithiau bywyd? 'Ew annwyl nac oeddan', oedd ateb pendant Gwyneth Williams, a fu yn Ysgol Ramadeg Pwllheli yn y pedwardegau, 'o'dd gwersi bioleg... *reproduction of the rabbit*... yn ca'l 'i gyfri dipyn bach yn *blue.*' Pwnc a oedd yn boblogaidd gan sawl un oedd chwaraeon. Ymfalchïai Eileen Beasley yn ei gorchestion ar y naid hir (gallai neidio ymhellach na'r bechgyn, meddai), a bu'n *Victrix Ludorum*, Ysgol Uwchradd Hendy-gwyn ar Daf. Tennis a phêl-rwyd âi â bryd Marie Shirley yn Ysgol Llwyn-y-bryn, Abertawe, ac mae'r hanesion am fwynhau chwaraeon yn chwa o awyr iach yng nghanol cyfyngiadau rhagfarnllyd y ddisgyblaeth addysgol arferol.

Clywir balchder yn lleisiau'r siaradwyr wrth iddynt ddisgrifio gwisgoedd swyddogol yr ysgolion gramadeg yn arbennig. Dyma symbol gweledol o'u gorchest yn pasio'r ysgoloriaeth ac ymfalchïai Eurwen Bowen, Yr Alltwen, ei bod yn cael gwisgo'r wisg allan ar y stryd i brofi hynny. Yn Ysgol Ramadeg De la Beche, Abertawe roedd yn rhaid i'r pinaffor fod 'bedair modfedd uwchlaw'r ddaear pan yn penlinio' a rhaid oedd prynu popeth o siopau drudfawr Sidney Heath neu Archie Jones. Disgrifia Miriam Evans yr het felôr ddu a bathodyn yr ysgol â'i arwyddair '*The journey to high honour lies not in smooth ways*', y sanau hir duon a'r sysbendyrs i'w dal a wisgid yn Ysgol Llwyn-y-bryn. Abertawe. Tebyg oedd y drefn yn Ysgol Dr Williams, Dolgellau, ac roedd yn rhaid wrth ffrogiau streipiau a hetiau Panamâ ar gyfer yr haf a sandalau pwrpasol i'w gwisgo'n '*indoor shoes*' yn ogystal. Dim ond yn siop Daniel Williams y gellid cael gwisg o'r lliw cywir ac roedd yn ddrud. At hyn roedd angen dillad chwaraeon, ffon

Mair Helena Davies a Grace Jones yng ngwisg Ysgol Dr Williams, Dolgellau yn 1939. Derbyniai'r ysgol ferched lleol yn ddisgyblion dyddiol ynghyd ag eraill o ledled Prydain yn letywyr. Caeodd ei drysau yn 1975. (Llun: Sue Crowther)

Tîm Pêl-rwyd Ysgol Ramadeg Porthmadog yn 1951. Yr athrawes oedd y ddiweddar Marged Pritchard (enillydd Medal Ryddiaith 1976) a'r chwaraewyr oedd Eunice Williams, Llywela Robinson, Sulwen John, Vera Laurence Jones, Elizabeth A Jones, Mari Owen a Glenys Evans. (Llun: Casgliad Glenys Morris)

lacrós a raced dennis, meddai Mair Evans. Roedd arolygaeth lem y brifathrawes Miss Ringwood yn ddychryn i Ann James, yn ei blwyddyn gyntaf yn Ysgol Ramadeg Penarth, 'roeddech chi i fod yn gallu rhedeg eich bys o ganol eich *badge* lawr eich trwyn at eich bwcwl yn eich *gaberdine coat*'. Honnir bod trefn ysgolion gramadeg yn aml fel disgyblaeth y fyddin. Oherwydd eu bod wedi eu gwneud o wlân a'u bod, felly, yn tynnu atynt, châi'r tiwnigau ysgol mo'u golchi o un flwyddyn i'r llall ac yn yr oes hon anodd dychmygu eu cyflwr a'u golwg ar ben pum mlynedd!

Roedd nifer fawr o brifathrawesau ac athrawesau'r ysgolion gramadeg i ferched yn ddi-briod, oherwydd diswyddid athrawesau priod tan 1944. Efallai fod hyn yn egluro pam fod agwedd mor gaethiwus tuag at ganiatáu cyfathrach rhwng 'eu merched hwy' a bechgyn. Adeg dawnsfeydd yn Ysgol Ramadeg y Merched Llanelli, byddai'r merched yn gorfod dawnsio gyda'i gilydd, medd Mair Evans am y tridegau. Ugain mlynedd yn ddiweddarach, pan ddaliwyd disgyblion yn Ysgol Ramadeg y Merched y Porth yn siarad gyda bechgyn, trwy ffens ddur a'u gwahanai, rhybuddiwyd hwy gan y brifathrawes drannoeth, '*Girls, there will be nappies hanging on that fence, if you're not careful.*'

I ferched yn eu harddegau, cryn brofiad oedd lletya oddi cartref o ddydd Llun tan ddydd Gwener, os oeddent yn byw ymhell o'r ysgol uwchradd. Âi Rhiannon Price i Ysgol Ramadeg y Merched Aberhonddu o Drecastell yn y pumdegau â'i bwyd ei hun, yn gig moch ac wyau a 'thwmpyn o fochyn' o'r fferm gartref i wraig y llety eu coginio iddi. Ymfalchïai Erinwen Johnson yn y rhyddid a gâi hi'n sgil lletya oddi cartref, oherwydd roedd hi'n ysmygu Craven A yn ddeuddeg oed yn Ysgol Sir Llanrwst. Mynna iddi hi a'i chwaer gael penrhyddid yn ymylu ar ddiffyg gofal, oherwydd pan redodd ei chwaer i ffwrdd un dydd Mawrth, sylwodd neb ar hynny tan y dydd Gwener canlynol. Cawsant hyd iddi ymhen tair wythnos ym Metws-y-coed.

Ar ôl pasio neu fethu arholiad y *Senior* (y *matric(ulation)*), neu Lefel O ar ôl 1951, byddai llawer o'r merched yn gadael i fynd i fyd gwaith, boed hynny gartref, ar fferm, mewn swyddfa, ffatri neu fanc. Mynychai rhai golegau masnachol i ddysgu llaw-fer a theipio a thrin y *comptometer* - rhagflaenydd y cyfrifiadur. I Goleg Amaethyddol Llysfasi yr aeth Margaret Jones, o Drawsfynydd ddiwedd y pumdegau a mwynhau pob munud, yn enwedig y Gymdeithas Ddadlau lle bu'n traethu'n hyderus ar '*Should Wales have a Government?*'

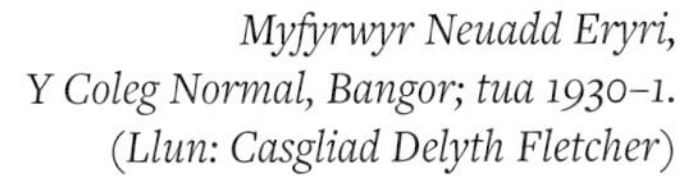

Myfyrwyr Neuadd Eryri,
Y Coleg Normal, Bangor; tua 1930–1.
(Llun: Casgliad Delyth Fletcher)

Rhai o'r myfyrwyr a gwblhaodd eu cwrs trwy gyfrwng y Gymraeg yn y Coleg Normal, Bangor yn 1964. (Llun: Geoff Charles)

Dewisai eraill aros yn eu blaenau yn yr ysgol ramadeg i astudio ar gyfer yr *Higher* neu Lefel A ar ôl 1951. Yna, ymlaen i goleg nyrsio (a thrafodir hyn eto), i ddilyn cwrs hyfforddi i athrawon cynradd mewn '*training colleges*' neu i brifysgol. Roedd colegau hyfforddi'r Normal a'r Santes Fair, Bangor; Morgannwg yn y Barri; Abertawe; Cartrefle, Wrecsam, (agorwyd 1945) a Choleg y Drindod, Caerfyrddin (agorwyd i ferched yn 1957) wedi denu nifer dda o'n siaradwyr. Dywed Dilys Thomas, Tal-y-bont, Bangor, iddi benderfynu ar y Coleg Normal oherwydd mai 'athrawes o'n i isho bod ers erioed, erioed, erioed. 'Nesh i erioed feddwl am fynd yn DDIM byd arall.' Ond roedd gan sawl un reswm arall dros beidio rhoi eu bryd ar addysg prifysgol. Cwrs dwy flynedd oedd cwrs hyfforddi athrawon ond cymerai bedair blynedd i gymhwyso gyda gradd a diploma o brifysgol ac mewn cyfnod o wasgfa ariannol ddybryd ar eu teuluoedd roedd hynny'n faen tramgwydd real. Unwaith eto bu'n rhaid i gymaint ohonynt fodloni ar ail ddewis yn hytrach na dilyn eu gwir freuddwydion addysgol. Pan ofynnwyd i Mair Meredith Williams, Harlech, yn ei chyfweliad ganol y pedwardegau,

Rhai o fyfyrwyr Coleg Hyfforddi y Santes Fair, Bangor yn yr 1950au. (Llun: Casgliad Archif Menywod Cymru)

Myfyrwyr Coleg Hyfforddi Morgannwg, y Barri, yn eu gwisgoedd Cymreig ac yn arddangos eu harwyddair 'Cofia Ddysgu Byw' ar Ddydd Gŵyl Dewi, yn 1951. Yn y canol, yn yr ail res, eistedd y Pennaeth Ellen Evans, a reolai'r myfyrwyr â llaw gadarn ac ar y pen ar y dde, Norah Isaac, yr addysgwraig enwog. (Llun: Casgliad Elinor Davies; hawlfraint Chas H Farmer, y Barri)

pam y rhoddodd y Normal yn gyntaf ar ei ffurflen gais a phrifysgolion yn ail a thrydydd, ei hateb oedd bod ganddi frawd ddeunaw mis ieuengach na hi ac y byddai'n rheitiach iddo ef gael addysg prifysgol. Bu Buddug Thomas, Pennant, Llanbrynmair yn ddigon ffodus i gael £15 o grant gan y cyngor sir ar gyfer ei blwyddyn gyntaf a £10 yr ail flwyddyn i fynd yno, ond roedd yn rhaid arwyddo papur y byddai'n ei ad-dalu ac na fyddai'n priodi am bum mlynedd, neu collai ei swydd. Fel digwyddodd hi, torrodd y Rhyfel allan ac oherwydd prinder athrawon, diddymwyd y rheol hon. Chafodd Mair Garnon James o Landudoch ddim grant i fynychu Coleg y Barri adeg y Rhyfel, er ei bod wedi colli'i dau riant, a dibynnai ar bunt fan hyn fan draw gan berthnasau neu 'neud hebddo'.

Un atgof cyffredin oedd o'r ddisgyblaeth lem yn y colegau hyfforddi. Roedd 'clocio i mewn a chlocio allan' yn gyffredin. Yn y Barri yn y pumdegau cynnar, meddid, roedd y Pennaeth, Ellen Evans, fel 'martinet' - rhaid oedd bod i mewn bob nos am chwarter i wyth ac yn eu gwlâu erbyn naw. Yn y Normal cynhelid *PS* (*private study* neu *perfect silence*) rhwng 5.30 ac 8.30 yr hwyr, pawb yn eu hystafelloedd a chloch yn canu i nodi'r diwedd. Does ryfedd fod myfyrwyr y brifysgol yn eu gwatwar, pan ddeuai'n amser clwydo, 'Ferched bach Coleg y Normal – gwell i chi fynd i'ch gwlâu.' Doedd dim caniatâd i gariadon fentro dros drothwy hosteli'r merched ychwaith. Yng Ngholeg Crewe, yn ôl myfyrwraig o Lanfaelog, arferai'r myfyrwyr weiddi '*There's a man in hostel!*', pe gwelent ddyn. Codai darlithoedd Ellen Evans ar *ethics* y felan ar sawl myfyrwraig yn y Barri. Roedd ei phregeth ddirwestol wedi ei serio ar gof Margaret Davies, Beulah, '*If you meet your husband in a pub, don't expect him not to go to the pub when you're married.*' Cymerai penaethiaid a wardeniaid yr hosteli eu cyfrifoldeb *in loco parentis* yn ddifrifol iawn, er bod y merched dan eu gofal yn fenywod dros eu deunaw oed.

Wrth gwrs, roedd rheolau o'r fath yno i'w torri. Ceir storïau di-rif am fod allan yn hwyr a dianc rhag cosb trwy ddringo i mewn trwy ffenestri, a hyd yn oed, erbyn y pumdegau, am ddynion yn gwneud hynny a myfyrwyr yn cysgu gyda'i gilydd. Er bod bariau ar draws ffenestri hosteli'r Normal,

'Halibalŵ', Drama Gymraeg Dydd Gŵyl Dewi, 1950, yng Ngholeg Hyfforddi Morgannwg, y Barri. Yn y cast roedd Elinor Williams (Davies wedyn, Llangrannog), Mair Jenkins (Hirwaun), Margaret Jones (Davies wedyn, Beulah), Carrie Griffiths (y Rhondda), Enid Morgan (Llandybïe), Margaret Morgan (Sir Gaerfyrddin) ac Ann Jenkins (y Rhondda), a'r cynhyrchydd oedd Norah Isaac. (Llun: Casgliad Margaret Davies née Jones)

bu Eryl Llwyd Jones, meddai, yn dangos i'w chyd-fyfyrwyr sut i wasgu trwyddynt. Canlyniad hynny fu iddi gael ei dal a'i 'geto' neu ei gwahardd rhag mynd allan fin nos am wythnos gyfan. Yn fynych byddai'r *col-mother* a ofalai am fyfyriwr arbennig yn rhan o'r cynllwynio hwn. Cyfaddefa Beti George, Godre'r Graig, am arferion Coleg y Barri yn y pedwardegau:

> Och chi'n ca'l bod mas yn hwyrach ar nos Sul os och chi'n mynd i Ysgol Gân y Tabernacl. A'r arweinydd o'dd Dan Evans, tad Gwynfor Evans, a o'dd e'n rhyfedd faint o ferched o'dd yn sydyn iawn â diddordeb mawr yn mynd i ganu a ca'l awr fach *extra* mas.

Â'n ei blaen i nodi na chaech fynd adre yn ystod y tymor, ond roedd yn 'rhyfedd faint o aelodau'r teulu oedd yn mynd yn wael iawn neu hyd yn oed yn marw - er mwyn (i chi) gael mynd adre'!

Does ryfedd fod y myfyrwyr wedi gwrthryfela, yn enwedig ddiwedd y pedwardegau pan ddychwelodd milwyr o'r Rhyfel a gwrthod cydymffurfio. Yn ôl Eluned Mai Porter protestiodd myfyrwyr Coleg Madeley, swydd Stafford, trwy orymdeithio a chodi twrw pan daflwyd merch o'r Cymoedd allan am beidio dychwelyd o'i chartref un nos Sul yn y pumdegau. Buont yn llwyddiannus a chafodd ddychwelyd at ei hastudiaethau ym mhen y mis. Teimlai Sarah Owen, Llanrwst, bod rhoi myfyrwyr mewn cocŵn disgyblaethol fel hyn yn eu rhwystro rhag 'mynd i'r afael â'r byd a'i bethau'. Dyna farn siaradwraig o Landdeiniol a fynychodd Goleg Hyfforddi Abertawe hefyd, oherwydd, gan nad oedd gan y myfyrwyr hawliau, nid oeddynt yn dysgu cyfrifoldeb ychwaith.

Gan y fyfyrwraig hon ceir darlun o'r newid byd i ferch ifanc o gefn gwlad yng nghanol bwrlwm heriol Abertawe yn y pumdegau:

> Dwi'n cofio gweld y ffrog gynta ar draws un ysgwydd a'r ysgwydd arall yn noeth... oen i'n gegrwth!... Dwi'n cofio prynu rhyw fra crand ofnadw... oen ni (hi a'i ffrind, Erica) erioed wedi cael dim byd mor bigog... A wedyn sgert syth, a... prynu top lliw mwstard. Bobol bach, doen i 'rioed wedi bod mor smart!... Ar ddydd Sadwrn gwlyb fydden ni'n dweud 'Reit 'dan ni gyd yn mynd i gael pyrm'... Fydden ni'n prynu '*Tony*' mewn bocs...

Yna caent stŵr am fod y draen yn llawn o drochion gwyn ac yn gorlifo. Hyd yn oed yn awr, doedd gwisgo trowsus ddim yn dderbyniol yn *hops* poblogaidd y Normal, medd Dilys Thomas, Tal-y-bont, Bangor, 'Argian fawr, fysa chi'n cael 'ch esgymuno, dwi'n meddwl.'

Cymreictod Coleg y Barri, dan arweiniad Norah Isaac, ddenodd Mair Garnon James yno ac ychwanega, 'ges i fwy o ddos nag o'n i wedi feddwl, glei, yn y ddwy flynedd 'na.' Tua chanol y pumdegau gwelwyd newid arwyddocaol yn yr addysgu ei hun, pan ddechreuwyd cyflwyno cyrsiau cyfrwng Cymraeg. Cyn hynny, meddai Llinos Jones, Llangollen, am y Normal, ''Aru ni 'rioed feddwl, fel ddaru cenhedlaeth ar ein holau ni, y dylen ni frwydro am statws y Gymraeg...'. Yn 1956 y dechreuwyd cynnig cwrs i ddarpar athrawon trwy gyfrwng y Gymraeg yno a chofia Gwenda John, Blaen-ffos, mai nhw oedd yr arloeswyr ym meysydd Iechyd, Addysg ac Ymarfer Corff. Cofia geisio cyfieithu '*Jumping with a rebound*', - 'fuodd e'n dipyn o waith', a byddai'n haws bod wedi dilyn y cwrs yn Saesneg, cyfaddefa.

Y tristwch mawr ydy, er dilyn cyrsiau yn Gymraeg a thrwy'r Gymraeg, nad oedd modd i lawer o fyfyrwyr, wedi iddynt gymhwyso, gael swyddi yng Nghymru. *London First Appointments* oedd y drefn yng Ngholeg Morgannwg, ac i Lundain yr âi'r goreuon. Nid oedd Sir Feirionnydd yn cyflogi athrawon newydd gymhwyso; disgwylid iddynt gael profiad i ffwrdd yn gyntaf. Dyna sut y glaniodd cymaint o fyfyrwyr disgleiriaf y colegau hyfforddi mewn ysgolion yn Lloegr. Oherwydd polisïau cibddall o'r fath collwyd cannoedd o athrawesau ifainc gorau eu cenhedlaeth o Gymru ac ni ddychwelodd llawer ohonynt i gyfoethogi addysg eu gwlad.

Gellir cymhwyso llawer o'r themâu uchod at brofiadau'r siaradwyr hynny a aeth ymlaen i astudio mewn prifysgol. Uchelgais Gwenllïan Jones, Porthmadog, oedd mynychu'r *London School of Journalism* a bod yn 'ddynes papur newydd', ond torrodd y Rhyfel allan ac aeth 'gyda'r lli' i Brifysgol Bangor i ddilyn y cwrs Addysg. Dywed sawl un fod modd cael grant llawn i ddilyn y cwrs Addysg tair blynedd, ac roedd hynny'n ystyriaeth ganolog mewn cyfnod o gyni. Siom, er hynny, i Sallie Bryn Evans, oedd Seisnigrwydd darlithoedd Prifysgol Bangor ddiwedd y dauddegau - roedd Syr John Morris-Jones yn darlithio ar y Gymraeg trwy gyfrwng y Saesneg, meddai. Ysgytwad mawr gafodd Eirwen Gwynn hithau ym Mangor, pan ddewisodd astudio cwrs anrhydedd Ffiseg, ganol y tridegau. Dioddefodd ragfarn ddifrifol yn ei herbyn fel menyw. Mewn un arholiad caent eu cau mewn labordy drwy'r dydd a deuai'r arholwr allanol o gwmpas i siarad efo'r ymgeiswyr. Ond anwybyddodd ef hi'n llwyr tan ddiwedd y prynhawn, pan ofynnodd iddi 'gyda'r dirmyg mwyaf', '*What on earth are YOU doing here?*' Wnaeth e ddim edrych ar ei gwaith na thorri gair arall â hi.

Unwaith eto ceir disgrifiadau lliwgar o ddisgyblaeth hosteli fel

Neuaddau Alexandra a Carpenter yn Aberystwyth ac Aberdâr yng Nghaerdydd, er bod myfyrwragedd prifysgol yn dipyn llai caeth na'u cyfoedion mewn colegau hyfforddi. Roedd herio'r drefn yn 'cadw bywyd â rhyw sbarc ynddo', medd Gwenllïan Jones. *Virgin's Retreat* oedd llysenw Neuadd Aberdâr, 'lle sidêt iawn' medd Gwen Redvers Jones, Blaenau Ffestiniog, lle câi dynion ymweld â'u cariadon ar brynhawniau Sadwrn os cadwent ddrws yr ystafell ar agor. Os oeddent wedi dyweddïo gellid cau'r drws. Mae disgrifiad Margarette Hughes, a aeth o Sir Gaerfyrddin i Brifysgol Caerdydd i astudio Athroniaeth ddechrau'r chwedegau, yn adlewyrchu hen ddefodau ffurfiol addysg fonedd a Seisnig ar y naill law a throthwy cyffrous byd newydd y *Swinging Sixties* ar y llall. Câi'r myfyrwyr, meddai, eu gwahodd i eistedd ar y *top table* amser bwyd ond chaen nhw ddim codi cyllell na fforc nes i'r Warden ei hun wneud hynny. Â yn ei blaen:

> On i'n gorfod gwisgo *gown* i fynd i ddarlith pry'ny; (ond bydden ni'n gwisgo) trwseri tynn achos... oedd e'n gyfnod y *beatniks* a och chi'n prynu siwmper o *Marks and Spencers* - rhai dynion, *floppy* mawr... a gwisgo minlliw pinc gole, gole a llawer o golur du ar 'n llyged ni a lliwio'n gwallte'n ddu. A o'dd *gramophone* gyda ni yn whare recordie roc 'n rôl yn wyllt.

Roedd y byd a'r byd addysg ar fin chwyldroi'n sylfaenol, syfrdanol.

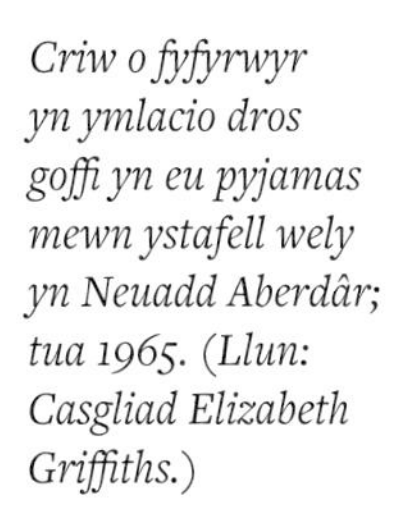

Criw o fyfyrwyr yn ymlacio dros goffi yn eu pyjamas mewn ystafell wely yn Neuadd Aberdâr; tua 1965. (Llun: Casgliad Elizabeth Griffiths.)

CAMEO

Rhiannon Parri Davies

Mae profiadau addysgol difyr **Rhiannon Parri Davies**, (Llansannan, ganed 1928) yn ddrych o brofiadau nifer o siaradwyr y bennod hon.

I Ysgol Eglwys Llansannan yr aeth hi a chofia'r lle tân a'r ffendar fawr o'i gwmpas, lle rhoddai'r plant eu dillad i sychu ar dywydd gwlyb. Cofia'n arbennig y tŷ bach ym mhen draw'r iard. Dim ond bwced oedd yno ac roedd rhywun wedi tynnu bricsen neu ddwy o'r wal gefn yn wynebu'r ardd. Câi'r bechgyn eu gyrru i'r ardd i weithio ac roedd rhaid amseru'r ymweliad â'r tŷ bach yn ofalus neu byddent yn gweiddi ar ei hôl, 'Ha ha! Dwi wedi gweld dy ben-ôl di!'

Doedd Rhiannon ddim yn mwynhau'r gwersi gwnïo gorfodol i ferched, gan nad oeddynt yn gwneud unrhyw ddilledyn diddorol. Y peth gwaethaf wnaeth hi oedd nicers winsiét piws. Cofia ei hemio â phwythau blêr mewn edau wen, a'r cyfan yn troi'n llwyd. Ar ôl ei orffen roedd yn rhaid ei wisgo. 'Dwi'n cofio'r gwarth,' meddai, 'chwarae a syrthio... a pawb yn gweld y nicers winsiét piws 'ma!'

Dim ond dwy ohonynt safodd y *scholarship* ond siom oedd darganfod bod Ysgol Ramadeg Abergele yn Seisnigaidd iawn, iawn. Byddai athrawon a oedd yn gallu siarad Cymraeg yn siarad Saesneg â'r disgyblion. Cafodd ei ffrind, Heulwen, ei gorchymyn i ailadrodd brawddeg Saesneg o flaen dosbarth er mwyn ei bychanu a gwawdio'i hiaith. Yn wir, Cymraeg ail iaith astudiodd Rhiannon ei hun, er mai Cymraes Gymraeg â'i Saesneg yn ddigon carbwl oedd hi ar y pryd. Roedd y gwersi Hanes yn gwbl ddieneiniad; 'Nodiadau a nodiadau i'w copïo o'r bwrdd du: *Reason for the Downfall of Napoleon. 1. He was too ambitious...*' Gan fod ei chartref yn rhy bell iddi deithio i Abergele bob dydd arhosai hi a'i ffrind mewn lojin. Roeddent braidd yn wyllt a chawsant eu taflu allan oddi yno ddiwedd y flwyddyn gyntaf!

Gan mor gyfyng y dewis o yrfaoedd i ferched, i hyfforddi'n athrawes i'r Coleg Normal yr aeth Rhiannon hithau a disgrifia'r cyfyngiadau

rhyfeddol ar eu rhyddid fel myfyrwyr. Cynhelid gwasanaeth bob nos a chanent yr emyn byrraf posibl, oni bai bod rhywun yn hwyr yn dychwelyd i'r hostel; yna byddent yn canu'r dôn hiraf gan ddyblu a threblu'r dôn!

Fel cynifer o athrawon newydd Cymru bu'n rhaid mynd allan o'r wlad am ei swydd gyntaf yn swydd Stafford, ond dychwelodd i Ysgol Gynradd Abergele o fewn deunaw mis. Yno, disgwylid iddi ddysgu Cymraeg ail iaith i ddosbarth o 70. Ond erbyn 1950 roedd galw cynyddol am addysg cyfrwng Cymraeg a bu hi'n dysgu dau ddosbarth drwy'r Gymraeg. Ymhen chwe blynedd agorwyd Ysgol Gymraeg Glan Morfa a phenodwyd hi'n brifathrawes dros dro, gyda dim ond £12 i'w wario ar offer. Yn raddol, wrth i'r ysgol lwyddo mewn eisteddfodau ac arholiadau, tyfodd ei bri ac aeth o nerth i nerth. Cafodd Rhiannon ddigon o hyder i dderbyn swydd y Pennaeth a mwynhau gweddill ei gyrfa yn fawr.

Pennod 3
GWAITH, GWAITH, GWAITH

Un argraff annileadwy a gawn o'r cyfweliadau yw bod mwyafrif y menywod a holwyd wedi gorfod gweithio'n eithriadol galed gydol eu bywydau, a hynny'n fynych am fawr ddim cyflog. Byddai llawer ohonynt wedi dechrau'n ifanc, yn aml oherwydd gwaeledd neu hyd yn oed farwolaeth tad neu fam. Mae hon yn thema gyson a thrist. Rhydd Mair Evans, Rhuthun, restr o'r swyddi y disgwylid iddi eu cyflawni o gwmpas y tŷ yn y tridegau: 'gwagio potiau pi-pi; golchi llestri, glanhau esgidiau, golchi llawr y gegin, polisho'r piano' a chofia Dwynwen Evans, Llanelli, sgrwbio'r *porch*, y fflagiau, stepen y drws, y tŷ bach a'r *conservatory* bob dydd Sadwrn a glanhau cyllyll, ffyrc a llwyau ar ddydd Gwener. Doedd dim disgwyl i'w brawd helpu achos roedd e'n 'alluog', meddai'n eironig. Ie, fel y dywed Catherine Williams, Cwmtirmynach, 'oes y ffedog fras' oedd hi i ferched, yn ogystal â'u mamau. Disgwylid i eraill helpu allan ar y fferm. Chwech oed oedd Nancy Williams, Pencaenewydd, yn dechrau godro ac yn ddeg oed âi â'r ceffylau i'w pedoli i'r efail leol. Yn nheulu Nansi Jones, Ciliau Aeron, a oedd yn un o naw o blant, roedd swydd gan bob un. Hi fyddai'n cario dŵr glân a thorri coed â bilwg ac ni châi hi wyliau fel ei ffrindiau oherwydd disgwylid iddi fynd i ffermydd cymdogion i dynnu tato yn ddi-dâl, fel y deuent hwythau'n ôl yn eu tro i helpu ar eu fferm hwy. Oherwydd tostrwydd ei mam, pobai Ray Tobias, Crug-y-bar, fara cyn mynd i'r ysgol yn y bore, a phan dorrodd iechyd ei thad, hi fyddai'n godro, carthu a thrafod y ceffylau hefyd. Collai Mefin Lewis, Login, ryw dri diwrnod yr wythnos o ysgolia yn ddeuddeg oed oherwydd gwaeledd ei mam a chollodd ddiddordeb mewn gwaith ysgol. Dewis hawdd, iddi hi felly, oedd gadael yn bymtheg a dod adref i weithio. Mae geiriau Lora Roberts, Llanystumdwy, yn adlewyrchu agwedd stoicaidd sawl un a holwyd, 'O'dd 'na neb arall i neud... O'n 'im isho dod (adre)... Ond dyna fo, dwi'm yn difaru 'chwaith... achos gesh i goleg adra.'

Dod adre i weithio ar y fferm deuluol – yn aml yn forwynion di-dâl fu ffawd llawer o'r merched. Dwedai tad Mary Morgan, a fagwyd yn Llanrhystud, wrthi, 'Mae'n rhaid i ti dalu am gael dy fagu', ac i arbed i'w thad gyflogi gwas y gadawodd Gwyneth Jones, Ystradfellte, yr ysgol yn ddeuddeg oed. Dim ond arian poced o hanner coron yr wythnos gâi hi am ei llafur corfforol trwm yn 'glanhau dan y da a'r ceffylau... a mynd â'r defaid lan i'r mynydd ar gefn poni, a godro a gwneud menyn a chaws.' 'Hen fywyd digon caled' oedd e yn ôl Nans Jones, Talgarreg, yn y tridegau a chofia lifio planciau i'w rhoi dan y pair i ferwi tatws. Daw geiriau Gwen Owen, Llanarmon, Chwilog, â thlodi'r merched hyn yn fyw, 'ches i 'rioed ddillad newydd... nes o'n i 'di tyfu i fyny.' I oresgyn ei thlodi bu Rachel Jones, Bronwydd, yn hynod ddyfeisgar yn gwerthu deuddeg cenhinen Bedr am geiniog ym marchnad Caerfyrddin ac yn dal gwahaddod adeg cynhaeaf gwair a'u gwerthu am dair ceiniog y cwt. Rhestra Dorothy Davies, Alltwalis, ei thasgau ar ddiwrnod arferol, sef 'godro, clanhau'r beudy, cario'r gwair, pwlpo, brwsio'r clos a sgwaru tail yn y cae'. Ar y llaw arall, roedd Joyce Phillips, Ffynnon-groes, yn ei helfen gyda'r holl waith, er bod yr oriau'n hir a hyd yn oed ar ôl golchi'r llestri swper, bod angen cywiro a thrwsio dillad.

Merch ifanc anhysbys yn godro mas yn ardal Mynachlog-ddu; tua 1920. (Llun: Casgliad Beti Davies, trwy garedigrwydd Cerwyn Davies)

Bet a Cass Vaughan yn hel gwair ar fferm Blaenplwyf Isaf, Aberangell; tua 1937. (Llun: Casgliad Anne Jones)

Digon tebyg fyddai tynged morwynion a gyflogid ar ffermydd eraill. Cyflogent am chwe mis neu flwyddyn ar y tro yn aml ac ystyrid bod morwyn a ymadawai cyn pen ei thymor wedi 'torri ei chymeriad'. Bychan iawn oedd y cyflog – dim ond tua £3 y flwyddyn a'i chadw a gâi Charlotte Evans, Y Foel, yn y tridegau ond tystia Mair Davies, Horeb, Llandysul ei bod hi'n ennill £60 y flwyddyn yn y pedwardegau, er y bu'n rhaid iddi weithio'r flwyddyn gyntaf yn ddi-dâl. Cadwai ambell fferm fwlch hierarchaidd rhwng y teulu a'r gwasanaethyddion. Ar y fferm lle bu Jane Williams, Cwm Penanner, yn gweini, eisteddai'r teulu i fwyta wrth fwrdd bach â lliain gwyn, ond y gweision a'r morynion wrth fwrdd mawr yn yr un ystafell. Meddai, 'Dyna oedd y drefn a rhaid derbyn.' Ond trefn ychydig yn wahanol welodd Elizabeth Davies, Llanddaniel-fab, oherwydd eisteddai hi ar wahân i'r gweision wrth fwrdd y teulu 'i estyn pethau atynt', a hynny wedi newid i ffedog lân ar gyfer swper am chwech. Roedd Elizabeth yn gweini i deulu o Saeson ac eglwyswyr a disgwylid iddi hithau fynychu gwasanaethau'r eglwys gyda hwy.

Roedd gwahaniaeth dybryd rhwng swydd gweini gwahanol. Ystyriai'r rhai a wasanaethai mewn tai preifat eu bod o statws fymryn yn uwch na morwynion fferm. Ond unwaith eto, dibynnai llawer ar garedigrwydd neu ddiffyg caredigrwydd y feistres. Fel y dywed Jane Jones Roberts, Trefor, 'Os oeddach chi'n ca'l (bod) yn forwyn mewn rhyw le go glyfar, o'dd o'n glyfar.' Ni fu siaradwraig o Ben-caer, sir Benfro, yn ffodus pan gyflogwyd hi mewn plas lleol tua 1930. Câi un noson rydd yr wythnos ond byddai'n rhaid gofyn caniatâd y feistres; roedd e 'fel bod mewn carchar'. Prin oedd y bwyd plaen, oer a gâi i'w fwyta ac arferai ddwyn wyau

Letitia Davies, morwyn mewn 'private house' yn Aberaeron yn yr 1920au. Dyma oedd prif alwedigaeth menywod yng Nghymru rhwng y ddau Ryfel Byd. (Llun: Casgliad Catrin Stevens)

Morfydd James y tu allan i hen storws ar fferm Pantglas, Llanboidy. Roedd lle i odro chwe buwch ar lawr isaf y storws. Dyma'r peiriannau godro cyntaf ar y fferm yn yr 1950au hwyr. (Llun: Casgliad Morfydd James, trwy garedigrwydd Wyn Evans)

i'w digoni. Deg swllt yr wythnos oedd ei thâl ond ni dderbyniai ef tan ddiwedd y flwyddyn. Digon tebyg fu profiad Megan Price, Llanbedr-goch, a fu'n gweini gyda 'hen wreigan gynnil ofnadwy' a fwytai fenyn ei hun a rhoi marjarîn i'w morwyn. Anfonai hon Megan allan i glapio wyau o gwmpas y ffermydd adeg y Pasg yn ôl hen arfer gwerin Môn a throsglwyddo'r enillion iddi hi. Ddiwedd y tridegau bob chwe mis y câi Anne Evans, Llaniestyn, ei chyflog bychan ond ni welai hi'r arian hwnnw hyd yn oed, oherwydd âi i dalu bil esgidiau ei brodyr a'i chwiorydd. Eto, teimlai Anne yn falch ei bod yn cyfrannu at economi ei chartref.

Cawn ambell stori ddigon diflas, sy'n pwysleisio statws israddol morwynion. Teimlai Esther Morgans, Pen-y-groes, Caerfyrddin, 'yn unig ofnadwy' yn ei swydd yn *head parlour maid,* a phan gafodd ei chyhuddo ar gam o dorri rhywbeth yn yr ystafell ymolchi, penderfynodd adael ar ôl blwyddyn. Gadael un cyflogwr yn ddisymwth fu hanes Jane Jones Roberts, Trefor, hithau, oherwydd ceisiodd ei meistres brofi'i gonestrwydd trwy roi darn arian yn y potyn-dan-gwely. Gadawodd Jane yr arian lle'r oedd a diolchwyd iddi am fod mor onest. Ond pan glywodd ei mam am yr helynt, rhwystrodd hi rhag dychwelyd yno. Amser diflas gafodd Marged Morris hithau'n gweini 'byddigions' yn y Cann Offis, Llangadfan, a chael 'cyflog sâl ar y diawch... (ac) un llwyaid o jam rhwng pump' ohonynt.

Apeliai gwisg swyddogol morwyn mewn tŷ preifat at nifer, gan ei bod yn arwydd gweladwy o statws, fel y dengys Mair Jones, Penmynydd:

> Oeddach chi'n gorfod gwisgo *uniform* yno – du a gwyn... Barclod mawr yn bora tan hannar dydd, wedyn ar ôl hannar dydd oeddach chi'n 'molchi a newid a mynd i'r *uniform* pnawn – brat bach a cap a *cuffs*. Oeddach chi'n teimlo oeddach chi'n gneud rwbath o werth 'lly, 'de.

Pan fu farw meistr y tŷ, talwyd am 'het, côt, sgidia, menig a phob peth – hyd yn oed hancas bocad â blodyn du arni hi,' ar ei chyfer, a bu'n rhaid gwisgo'r mwrning mewn parch am flwyddyn, fel aelodau'r teulu. Ar y cyfan, er hynny, roedd y morwynion hyn yn ymwybodol iawn o hierarchaeth y tŷ lle gweithient. Sonnir am swyddi *under-housemaid* a *third and second housemaid* wrth wasanaethu ym Manceinion a Llundain, lle bu nifer o'r siaradwyr yn ehangu eu gorwelion. Trwy asiantaeth Hunts, Kensington, y cafodd Eirlys Thomas, Dolgellau, waith yn *third housemaid* yn Llundain tua 1930, mewn tŷ lle byddai'r gwasanaethyddion yn eistedd i fwyta yn ôl eu statws. Câi hi tua dwy awr bob dydd a bob yn ail Sul yn rhydd. Y cyfle i ymuno â Chapel Holloway a'r Clwb Cymraeg ddenodd Margaret Hopkins, Tregaron, i weithio i deulu o Ledrod yn Llundain a chael '*Home from Home*' yno. Ond eto, meddai'n graff, gweithiai 'oriau hir... ac wedi 'ny wrth gwrs o'ch chi 'na drwy'r amser... dim *privacy* o gwbwl.' Profiad gwahanol iawn fu eiddo Mair Griffiths, Llangynnwr, a anfonwyd gan ei thad i wasanaethu yn wyrcws Caerfyrddin yn y pedwardegau. Roedd llond y wyrcws o drueiniaid digartref a mamau dibriod wedi eu gwrthod gan eu teuluoedd. Bu'n agoriad llygad iddi – roedd yn rhaid newid gwelyau yn dragwyddol gan nad oedd padiau rhag gwlychu bryd hynny. Treuliai brynhawniau yn clytio trowsusau'r dynion o'r cwdyn rhacs, 'patshyn rownd ar y penole, patshyn sgwâr ar y goes', a'u gosod 'yn gwmws yr un grân â'r dilledyn'.

Gweithio mewn siop: siop bentref Trevor Powell, Llanrhaeadr ym Mochnant yn yr 1950au. (Llun: Geoff Charles)

Swydd gymeradwy oedd gweithio mewn siop. Cafodd nifer o'r siaradwyr eu magu mewn siop bentref. Daw atgofion i Dr Gwyneth Carey, Pentrefoelas, o bwyso te, siwgr, a bisgedi rhydd i'r cwsmeriaid, pwyso'r lard a thorri caws â weiren, pwyso'r burum ar glorian fach, hanner owns ar y tro mewn sgriw o bapur a'r ffermwyr lleol yn dod â'u menyn eu hunain, â stamp eu fferm arno, i'w werthu. Arferai cwsmeriaid roi nwyddau 'ar y slât' yn ystod yr wythnos a thalu'r bil ar nos Wener (noson gyflog) yn siop Star, Pen-y-groes, Gwynedd, tua 1960, meddai Mena Jones a'i dyletswydd hi oedd bod yn 'beiliff bach' yn casglu dyledion o gwmpas y tai. Mae hirhoedledd gwasanaeth ambell siaradwraig yn rhyfeddol. Gweithiodd Greta Walters am 54 mlynedd yn siop teulu ei gŵr yn ardal Llanllwni, a bu Elinor Pritchard, Efailnewydd, yn cadw siop y teulu am drigain mlynedd. Yn fynych, byddai'r siopau hyn yn cadw amrywiaeth eang o nwyddau a phob cwsmer yn cael ei serfio yn ei dro, cyn dyddiau hunanwasanaeth. 'Sefyll y farced' yng Nghaerfyrddin wnâi siaradwraig o Frechfa yn y pumdegau. Gwerthai gynnyrch cartref a byddai'n gweithio deg tun o ffagots ar gyfer pob dydd Mercher a Sadwrn, gan aros ar ei thraed tan ddau'r bore ar nos Wener i'w coginio. Paratoai 'grugyn mawr o frôn' o ddau ben mochyn hefyd a'i ddodi mewn llestri bach plastig 'bob seis yn byd'. Gyda gŵr cynnil iawn roedd yn rhaid iddi sefyll y farced a gweithio'n ddidostur i gael digon o arian i fagu ei phlant.

Nan Lloyd a Meiryl James yn profi llaeth ar y dec yn Ffatri Laeth Felin-fach, Ceredigion; tua 1959. (Llun: Casgliad Meiryl James)

Hyrwyddo yfed a defnyddio llaeth yn Sir Gaerfyrddin i'r Bwrdd Marchnata Llaeth; tua 1934. Gwladwen Hughes (enw priod Jones), Bronwen Davies a Muriel Davies gyda'u ceir Austin 7. (Llun: Casgliad Mari G Evans)

Gweithio mewn siop ddillad: Janet Lloyd (ar y chwith) a chydweithwyr yn arddangos dillad mewn Sioe Ffasiwn gan Marks & Spencer, yn y 'Gas Showrooms' Llanelli; 1957. (Llun: Casgliad Janet Lloyd)

Gweithiai eraill mewn siopau dillad. Yn siop Golden Eagle, Llangefni, y bu Jennie Lloyd Jones yn y tridegau, a gwnaeth ddwy flynedd o brentisiaeth a blwyddyn yn *improver*. Trefn ei diwrnod gwaith oedd brwsio, prisio, twtio a serfio a chofia fod cyfnodau pen tymor, Calan Mai a Chalan Gaeaf yn amserau prysur iawn gan y deuai gweision a morwynion i wario'u cyflogau prin ar ddillad newydd bryd hynny. Fel cynifer o'r merched ifanc mewn gwaith trosglwyddent gyfran helaeth o'u cyflogau i'w mamau i chwyddo incwm y teulu. I siop Marks and Spencer's, Llanelli, yr aeth Janet Lloyd, yn 1949 a dyrchafwyd hi'n oruchwylwraig ac yna'r rheolwraig yr adran fwyd. Teimlai'n 'rhan o deulu' ac er mai 'gweddol' oedd y tâl, caent fonws Nadolig, iwnifformau a disgownt staff i'w cadw'n ddiddig. Dyrchafwyd Eira Taylor yn rheolwraig siop ym Meddgelert a chofia'n arbennig boblogrwydd mawr dillad tapestri yn y chwedegau a bod yn rhaid ffonio'r cyflenwyr bob dydd i archebu rhagor o stoc.

Ystyrid swydd gwniadwraig neu deilwres yn un arbennig o addas i ferch ifanc. Rhaid oedd talu am brentisiaeth, fel y talodd Mair Price, Botwnnog, chweugain yr wythnos i deiliwr i'w hyfforddi hi tua 1946. Yn ôl Mary Evans, Cross Hands, y cam cyntaf oedd dysgu gwisgo gwniadur ac yna cydio mewn nodwydd, cyn mynd ymlaen i ddefnyddio'r peiriant gwnïo Singer. Cofia Grace Jones, Aber-erch, yr oriau gwaith maith o naw'r bore tan saith yr hwyr a than ddeg o'r gloch ar nos Sadwrn. Disgrifia, fel nifer o'i chyd-wniadyddesau, wneud dillad mwrning i deulu galar a gorfod gweithio drwy'r nos, am fod brys i'w cael yn barod. Fel y dywed Mair Price eto, 'Roedd yna filiau mawr iawn yn cael eu cyfrifo ar adeg angladd... Fydda pawb yn morol bod o'n daclus, yn ddu o'i ben i'w sawdl bryd hynny.'

Sonnir mewn pennod arall am weithio mewn ffatrïoedd arfau adeg yr Ail Ryfel Byd a pharhaodd gwaith ffatri yn ddeniadol i ddegau o filoedd o fenywod ledled Cymru, gydol ail hanner yr ugeinfed ganrif. Syndod o brin, er hynny, yw'r dystiolaeth am hyn ymhlith siaradwyr y prosiect hwn. Pedair ar ddeg oedd oedran Catherine Davies yn dechrau yn Ffatri Uchaf, Glyn Ceiriog, ac ennill pum swllt yr wythnos. Ymhen ychydig fisoedd cafodd weithio'r gwŷdd Dobcross cyflym yn gwneud defnydd cotiau felôr. Câi swllt a chwech am ddarn o felôr trigain llath ond roedd angen gwehyddu dau ddarn yr wythnos i ennill cyflog teg. Petai'r peiriant yn torri, ar sail un darn yn unig y câi ei thalu. Fel cynifer o'i chyfoedion o ardal Cwmllynfell, bu Marina Davies yn gweithio yn ffatri gwneud beiciau Pennychain, Aber-craf ac yna yn ffatri watsys enwog Tic Toc (Smith's Industries), Ystradgynlais. Oherwydd natur y gwaith yn Tic Toc ni chaniateid awyru'r ystafell lle gweithiai ac o'r herwydd daliodd Marina'r diciâu. Ymddengys fod Nan Jones, Blaendulais, yn gorfod cael caniatâd ei gŵr i weithio sifft brynhawn ran amser mewn ffatri gwneud setiau teledu ar stad ddiwydiannol Hirwaun ac ar ôl dechrau yno nid oedd at ei dant. Ar y llaw arall, roedd Ellen Hughes wrth ei bodd mewn ffatri laeth ym

Mangor; wedi cyfnod o 'fywyd caled' yn gweini, dyma gyfle i gymdeithasu a chymysgu â genod eraill. Tystia Debi Edwards ei bod hithau'n hapus yn labordy ffatri laeth Pont Llanio yn dysgu godro, gwneud caws, hufen a menyn a phrofi'r cynnyrch. Gweithio mewn tîm o bedair ar beiriant yn mesur a phacio topiau tuniau a wnâi Mair Matthewson yn ffatri Metal Box, Castell-nedd, a disgrifia fanylder tasgau'r ffatri ag afiaith a boddhad yn ei gwaith. Eto, ar y cyfan, roedd statws 'merched ffatri' yn isel a thueddid i'w dilorni oherwydd agweddau cymdeithasol snoblyd y cyfnod.

Opsiwn a oedd yn ddeniadol gan eu rhieni oedd gwaith swyddfa, ac ar ôl cymhwyso mewn coleg masnachol neu ar gwrs ysgrifenyddol, dyna fu hanes sawl siaradwraig. Roedd amrywiaeth o swyddi'n bosibl o weithio'n

Mair Matthewson yn pacio open tops (750 top y funud) yn Ffatri Metal Box, Castell-nedd yn yr 1950au. (Llun: Casgliad Mair Matthewson)

Gweithio mewn swyddfa: Hufenfa Meirion, Rhyd-y-main yn yr 1950au. (Llun: Geoff Charles)

glerc neu ysgrifenyddes, mewn banc neu swyddfa bost. Gweithiodd Enid Penry, Gorseinon, i waith alcan newydd Trostre o 1947 i 1991 gan ennill dyrchafiad o'r adran gyflogau i redeg yr adran bensiwn. Noda'r newidiadau technegol enfawr o ysgrifennu popeth â llaw a defnyddio *comptometer* i hwylustod cyfrifiaduron. Fel swyddog tocynnau yng ngwersyll Butlin's, Pwllheli yn y pumdegau, dim ond £2 yr wythnos enillai Laura Wyn Roberts ond manteisiai ar gyfleusterau'r gwersyll: y merlota, y dawnsfeydd, y pictiwrs a'r pwll nofio. Ystyriai Gwynneth Rowlands, a fu'n ysgrifenyddes mewn banc ym Mangor, ei chyflog o £100 y flwyddyn yn 'un digon da' yn y pumdegau a phrynodd siwt â'i chyflog cyntaf. Oherwydd marwolaeth ei thad collodd siaradwraig o Amlwch gyfle i gael addysg uwch ond gan ei bod 'yn lecio llaw-fer ac yn lecio teipio', glaniodd yn Swyddfa'r Sir, 'lle pwysig iawn', a swydd ddiogel am weddill ei dyddiau. Yn Adran Priffyrdd Cyngor Sir Gaerfyrddin y gweithiai Beryl Thomas, Llangynog, ac roedd 'yn teimlo'n unig iawn' nes i ferch arall ymuno â hi yn y swyddfa. Roedd yn aelod o undeb NALGO, undeb cryf a oedd yn cymryd diddordeb yn ei aelodau. Yn anffodus, ychydig o sôn am undebaeth sydd yn y cyfweliadau, felly anodd mesur ei dylanwad ar fywydau'r menywod. Oherwydd nad oedd gwaith iddi gartref yn y tridegau, atebodd Mary Davies, Y Foel, hysbyseb yn y *Morning Star* a chael swydd mewn cwmni cyflogaeth preifat i lanhawyr yn Stryd Fawr Marylebone, Llundain. Trefnent waith glanhau tai pobl fawr i filoedd bob mis a chyn hir roedd hi'n rhedeg ei hadran ei hun. Rhybuddiodd ei thad hi i fod yn ofalus yn y brifddinas fawr, a 'gwneud cyfeillion o ferched iawn'. Brodor o Lundain oedd Glenys Morris ac wedi iddi basio arholiad uwch y Gwasanaeth Sifil ddechrau'r pumdegau, cafodd swydd yn y Swyddfa Gartref yn ysgrifenyddes i Brif Ysgrifennydd Preifat y Gweinidog, R A Butler. Bu'n rhaid iddi lofnodi'r Ddeddf Gyfrinachau Swyddogol a hi oedd yn gofalu am bapurau swyddogol y pwyllgorau. Ond wnaeth hi ddim addasu ei hacen Gymreig, meddai, gan ei bod yn dda bod yn wahanol.

Sonia llawer o'r siaradwyr a fu'n gwasanaethu y byddent, yn ddelfrydol, wedi hoffi dilyn gyrfa yn nyrs - swydd barchus a phroffesiynol a ystyrid yn arbennig o gymwys i fenyw, oherwydd mai gofalu am eraill oedd ei phrif nod. Roedd delwedd 'yr angel gwarcheidiol' yn dal yn fyw hyd at ddiwedd yr ugeinfed ganrif. Fel y gwelwyd, am amryfal resymau, ni wireddwyd y gobeithion hyn droeon. Yn rhyfeddol, gwrthwynebai ambell riant yr yrfa hon. Barn tad Dorothy Davies, Alltwalis, oedd 'Os ei di i nyrsio, byddi di'n ormod o ladi i ddod gartre' i weithio (ar y fferm) pan fydd ishe', a gwrthododd tad Beryl Hughes, Capel Seion, ag arwyddo'r ffurflen iddi fynd i nyrsio. Bu hynny'n 'siom fawr' iddi – i feddwl ei bod 'yn cael ei meistroli'. Mynnai mam Nesta Jones, Llandygái, y byddai'r gwaith yn rhy drwm iddi ac nad oedd nac arian na dyfodol mewn nyrsio. 'Slafo byddi di ar hyd dy oes', meddai, ond cofrestrodd Nesta ar gwrs yn Lerpwl heb ddweud wrth ei mam a mwynhaodd ei gyrfa yn fawr. Cafodd eraill lwybrau llai trofaus i wireddu eu breuddwydion.

Roedd yn rhaid bod yn ddeunaw oed i ddechrau hyfforddi'n nyrs a chymerai hynny dair blynedd, wedi pasio'r hyfforddiant rhagarweiniol, i ennill cymhwyster *State Registered Nurse - SRN*. Gadawent eu cartrefi am Lundain, Lerpwl, Caerdydd, Bangor, Caer neu Wrecsam i hyfforddi, gan letya mewn cartrefi nyrsys pwrpasol. Roedd y ddisgyblaeth ynddynt yn adleisio profiadau darpar athrawon yn eu hosteli hwythau. Hyd yn oed yn y pumdegau, dywed Iona Davies, Llanfyrnach, am Ysbyty Cyffredinol Hwlffordd, 'wêdd rheole *staunch*.... Wêdd rhaid i chi fod miwn am ddeg bob nos... o'dd dim bechgyn yn dod miwn i'ch rwmydd chi na miwn yn agos i'r cartre' o gwbwl.' Eto, gallai'r profiad fod yn un hynod gadarnhaol. Cofia Elinor Jones, Blaenau Ffestiniog, y cyffro o ddarganfod bod ei mam wedi prynu *dressing gown* ar ei chyfer i ddechrau ar ei gyrfa nyrsio – dilledyn cwbl newydd iddi a'i bod wedi cael llu o anrhegion gan gyfeillion a phobl y capel wrth fynd i ffwrdd i weithio. Glaniodd yn Rosset Hall, Wrecsam, a chael modd i fyw:

> Tŷ mawr... mewn gerddi mawr, mi oeddan ni'n meddwl bo ni wedi symud i fyw i Buckingham Palas... a dyna i chi beth oedd bwyd. A cael cartra' clyd... a stafell wely i mi fy hun. Mi oedd 'na betha fatha teliffon yno toedd, a teledu? Doedd gin Mam ddim teledu'r adeg hynny. Oeddwn i'n meddwl bo fi wedi cyrraedd y nefoedd... Oen i 'rioed wedi gweld coffi o'r blaen, Ovaltine a Horlicks, digonadd o lefrith - gallach chi gael bàth yno fo!

Doedd dim ffi i'w thalu am ddilyn y cwrs hwn a chan eu bod yn gweithio yn yr ysbytai caent gyflog pitw – o 18s 4c y mis yn yr 1920au i £8 y mis erbyn 1960, gyda'u llety a'u bwyd. Gweithient o tua 7.30 y bore tan wyth yr hwyr gyda dwy awr i ffwrdd yn y prynhawniau ac un diwrnod o wyliau'r pythefnos, meddai Sal Roberts, Gwynfe, am y pedwardegau. Gallai disgyblaeth yr *Home Sister* a'r Fetron fod yn llym iawn, yn ôl siaradwraig o Lanybydder a fu yn Ysbyty St Stephen, Llundain, tua 1931: 'Metron yn dod rownd a o'dd rhaid bod *wheel* bob gwely yn *straight:* a o'dd hi'n mynd â'i bys ca'l gweld a o'ch chi wedi dysto... a'r *bedpans* tragwyddol...'. Ond ychwanega, 'O'n i'n mwynhau e'n iawn, achos o'dd y cwmni yn gwmni hapus.' Pwysleisia sawl siaradwraig drefn yr hyfforddi a'r hierarchaeth a reolai ysbytai'r cyfnod, gan gynnwys cyfarch yr arbenigwyr fel 'Syr'. Dywed un siaradwraig o Sanclêr y byddai'r 'doctoriaid yn eich trêto fel baw... Os oech chi'n mynd i weld metron (roeddech) yn gorfod sefyll â'ch dwylo tu ôl... O'ch chi'n *very servile.*' Ond yna, ychwanega, pan oedd hi ei hun yn chwaer yn Ysbyty Treforys byddai morwynion yn glanhau ei hesgidiau ac yn gweini brecwast iddi yn y gwely.

Ymfalchïai'r nyrsys yn eu gwisg swyddogol. Costiodd y wisg £5, 'lot o arian i mam 'i ffindo' dywed Olive Thomas, Pont-iets, a hithau yn mynd i hyfforddi yn y Royal Infirmary, Caerdydd. Archebodd rhieni Eunice Iddles, Llanelli, barsel enfawr o ddillad nyrsio o siop J H Bounds, Manceinion, a chofia'n arbennig y cap gwyn 'fel llien bord mawr sgwâr'. Ar y llaw arall dywed sawl siaradwraig nad oedd rhaid talu am ddillad hyfforddi.

Chwiorydd Ysbyty Gyffredinol Abertawe; 1953–54.
(*Llun: Casgliad Cathy Irons. Hawlfraint* Evening Post)

Dyna pam, medd Rhian Jones, Arthog, (fu yn Rosset a Wrecsam) yr oedd y ffrog biws â'r goler *Peter Pan* ar gyfer y cwrs tri mis rhagarweiniol, yn rhy fawr iddi – roedd yn rhaid iddi ffitio pawb yn eu tro! Newidiai'r wisg wrth iddynt hyfforddi a sonia am startsio'r coleri a'r gwregysau yng ngolchdy Tsieineaidd Wrecsam. Ar ôl cymhwyso, gwisgai Marion Davies, Y Tymbl, glogyn nefi â leinin coch, gwregys glas a bwcwl a theimlai fod gan bawb barch mawr tuag at iwnifform nyrs.

Roedd y tâl yn dal yn fach. Disgrifia ei phrofiad cyntaf o fod yn y theatr yn gwylio llawdriniaeth torri coes a'i dyletswydd hi oedd rhoi'r goes mewn bag plastig. Hyfforddodd a gweithiodd sawl un o'r siaradwyr cyn sefydlu'r Gwasanaeth Iechyd Gwladol yn 1948, cyn bod penisilin nac antibiotegau a phan ddefnyddid ether yn anesthetig. Bu Sal Roberts yn dal ether dan drwynau cleifion nes eu bod yn mynd oddi tano. Gweithiai rhai mewn ysbytai gwirfoddol a byddai'n rhaid cynnal cyngherddau a nosweithiau coffi i'w hariannu.

Ychydig iawn o'r rhai a holwyd a aeth yn feddygon. Roedd eu diffyg hyder cynhenid yn llestair gwirioneddol. Credent yn gydwybodol nad oeddent yn ddigon clyfar. Eto datblygodd sawl un yrfa'n fydwraig, ymwelydd iechyd neu nyrs ardal. Yn ôl Mair Evans, a fu'n gyfrifol am ardal eang o Borthmadog i Feddgelert, 'roedd nyrsio cymunedol yn waith diddiwedd. Roedd yn rhaid bod ar alwad 24 awr y dydd' a gweithio yn ôl dymuniad y claf, gan mai ymwelydd oedd nyrs yn ei gartref. Prin oedd fferyllwyr ymhlith y siaradwyr.

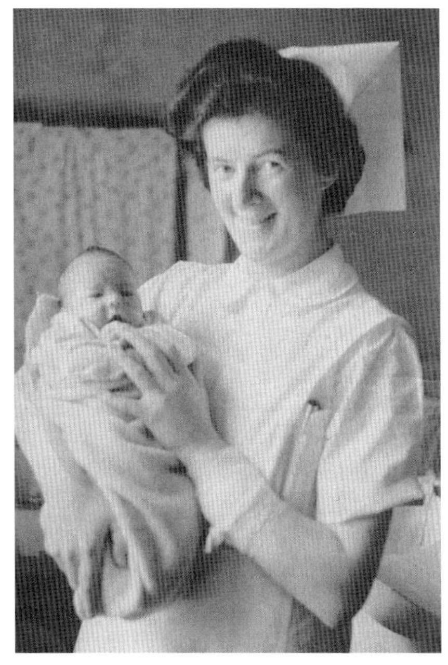

Winnie Jones o deulu Blaenplwyf Isaf, Aberangell, bydwraig, yn Bourne House, Birmingham yn 1940. (Llun: Casgliad Anne Jones)

Goresgynnodd Eirwen Hopkins, Rhydaman, ragfarn fferyllwyr eraill, *'If she's a girl I don't want her'*, i gael ei derbyn yn brentis. Roedd yr oriau'n hir iawn – o 9 y bore tan 9 y nos, tan 10 nos Wener a than 10.30 nos Sadwrn. Dysgodd wneud ei moddion ei hun i ddyn ac anifail a chofia'n arbennig am beswch creulon y coliers cyn bod antibiotegau a mewnanadlwyr. Byddai hi'n prynu dail sych bigoglys a'u hannog i'w llosgi ac anadlu'r stêm.

Swydd uchel ei statws i ferch ifanc oedd mynd yn athrawes. Fel y nodwyd eisoes, wrth sôn am golegau hyfforddi, allforiwyd cannoedd o Gymry disglair i ennill profiad yn ysgolion Lloegr, cyn eu cyflogi yng Nghymru. 'Ewch i ffwrdd am dipyn o brofiad, 'merch i', oedd y cyngor gafodd Buddug Thomas, Llanbrynmair, ac i Fanceinion yr aeth hi. Cyngor gwahanol gafodd Sallie Bryn Evans gan J J Williams, Cyfarwyddwr Addysg ym Mhenbedw, sef y byddai gadael ardal ei magwraeth yn ei rhyddhau o gyfrifoldeb am ei theulu a gorfod rhoi ei chyflog cyfan i'w gynnal. Eto o'r £13 y mis o gyflog a enillai (mwy nag a enillai ei thad) ddiwedd y tridegau, anfonai £2 adref i'w mam. Yn sicr bu'r mudo yn brofiad heriol i lawer. Roedd yn rhaid ymdopi â dosbarthiadau mawrion: roedd gan Doris Thomas, Treforys, 56 o ddisgyblion yn ei gofal mewn ysgol eglwys yn Epping, 'ysgol ofnadwy' meddai, a thorrodd ei chalon. Hanner cant o blant bach tair blwydd oed oedd yn nosbarth Jane Eirwen Carter, Gwauncaegurwen, yn Smethick ond ymunodd dosbarth arall o 34 â nhw gan roi 84 disgybl dan ei gofal. Cyfaddefa Mair Jones ei bod yn dipyn o sialens i gadw trefn ar ei deugain disgybl hi mewn ysgol yn Wolverhampton, ac roedd yn rhaid archwilio pob un cyn mynd adref gan eu bod yn dwyn llyfrau, pensiliau a phapur, pe gallent. Deuai'r disgyblion a ddysgai Nesta Evans, Manod, yn Birmingham o gartrefi tlodaidd a budur, meddai, ac arferai olchi traed a thorri ewinedd un bachgen saith oed. Ond teimlai i'r profiad wneud lles mawr iddi. Cytunant un ag oll bod angen adnabod

Deilwen Jones yn dysgu plant bach Maenofferen, Blaenau Ffestiniog; 1956. (Llun: Casgliad Deilwen Jones)

neu berthyn i gynghorydd i gael swydd ddysgu yng Nghymru. Yn wir, cyfaddefa Margaret Davies, Beulah, mai trwy ei brawd-yng-nghyfraith, a oedd yn gynghorydd, y llwyddodd i gael swydd athrawes yn ysgol Broadhaven, Penfro, tua 1950. Yn y chwedegau disgrifia Eirlys Davies, Aberhosan, sut y disgwylid iddi annerch 'tyrfaoedd' o gynghorwyr i hawlio swydd yn ôl yn Sir Aberteifi. Dylid nodi i ambell siaradwraig lwyddo i gael swydd yng Nghymru'n syth o goleg hyfforddi, ond eithriadau oeddynt ar y cyfan.

Cododd cyflog athrawes yn raddol o tua £22 y mis yn 1952 i £48 y mis yn y chwedegau a chofia un siaradwraig o'r Bermo iddi brynu oergell â'r cyflog cyntaf hwnnw yn 1964. Tystia Beti Hughes, Abersoch, nad oedd cyflogau dynion a menywod yn gyfartal er eu bod yn gwneud yr un swydd yn union, ond doedd hynny ddim yn poeni llawer arni hi, 'O'n i jest yn cymryd 'y nghyflog ac yn bod yn ddiolchgar' meddai, 'Do'n i ddim yn ryw ffeministaidd iawn... ar y pryd.' Adeg y rhyfel a phan ddechreuodd Dr Eirwen Gwynn addysgu yn Ysgol Ramadeg y Rhyl cofia fod athrawesau yn cael £190 y flwyddyn ac athrawon mewn swydd debyg yn ennill £250. Anghyfiawnder arall a'i blinai oedd agwedd drahaus y bechgyn ati hi yn athrawes Ffiseg, am ei bod yn fenyw a bu'n rhaid troi tu min atynt. Dro arall ymgeisiodd am swydd yng Ngholeg Technegol Rugby, ger Warwig. Doedden nhw ddim wedi sylweddoli mai enw dynes oedd Eirwen ac yn y cyfweliad dwedwyd wrthi, '*We don't want a woman. Go home*,' er mai hi oedd yr unig un â gradd doethur ar y rhestr fer. Yn y pumdegau y dechreuodd yr ymgyrch am gyflog cyfartal ym maes addysg o ddifrif a byddai undeb yr NUT yn codi ychydig sylltau bob mis o gyflog pob athro er mwyn ei hyrwyddo. Cymerodd saith mlynedd i ddod â'r mater i fwcl, medd Nancy Thomas, Caernarfon. Erbyn hynny, hefyd, ni châi athrawesau priod eu diswyddo fel a ddigwyddodd i Marie Shirley, a gafodd y 'sac' pan briododd ar ôl deuddeng mlynedd yn dysgu yn Ysgol Blackpill, Abertawe, tua 1940.

Ar y cyfan mynna'r siaradwyr nad oeddynt yn uchelgeisiol am ddyrchafiad, bron fel petai dyheu am hynny yn fater di-chwaeth. Medd Dilys Thomas, Tal-y-bont, Bangor, am ei gyrfa ddysgu ''Nesh i 'rioed ddeisyfu bod yn brifathrawes na dim byd erioed. Naddo... O'n i'n hapus yn gneud be o'n i'n neud.' Felly hefyd athrawes o'r Wyddgrug, oherwydd ni wnaeth hi erioed drio am ddyrchafiad, meddai, doedd ganddi ddim uchelgais bersonol, roedd bod â gofal dros adran y babanod a'u gweld yn dod i siarad Cymraeg yn ddigon iddi. 'Jyst digwydd' wnaeth gyrfa lwyddiannus Enid Jones, Nantlle, meddai, ond bu'n Bennaeth Adran ac yna'n Ddirprwy Brifathrawes yn ardal Aberfan ddiwedd y chwedegau. Roedd diffyg hyder neu uchelgais o'r fath yn gyffredin ac agweddau negyddol at fenywod uchelgeisiol. Yn anaml iawn y ceid gwraig briod yn brifathrawes ysgol gynradd ac yn llai aml fyth yn bennaeth ysgol uwchradd yn y cyfnod dan sylw.

Torrodd ambell siaradwraig gŵys wahanol gan fentro i feysydd sy'n boblogaidd a ffasiynol heddiw. Prentisiodd Eirlys Owen, Bow Street, ym maes harddwch a dysgodd roi pyrm, plycio aeliau a thrin ewinedd ddiwedd y 30au. Doedd dim cyflog am y chwe mis cyntaf, hanner coron am yr ail chwe mis, coron yn yr ail flwyddyn a 7s 6c yn y drydedd. Talodd mam Eirlys £30 am y brentisiaeth hon. Dyheai sawl siaradwraig am yrfa'n actio. Bu Sallie Bryn Evans yn aelod o Gwmni Drama Gymraeg Lerpwl a enillodd yn y genedlaethol deirgwaith yn olynol. Trwy hynny cafodd Sallie ei gwahodd gan Sam Jones y BBC i chwarae rhan yn narllediad cyntaf y ddrama gyntaf o'r stiwdio ym Mangor yn 1937. Eto, yn y cyfnod hwn, prin iawn oedd y cyfleoedd i actio'n broffesiynol, fel y tystia Mair Penri Jones, Pen-y-bont-fawr. Cafodd yrfa lewyrchus yn actio fel amatur; sefydlodd Gwmni Drama'r Parc, gan ennill gwobr y brif actores yn yr Eisteddfod Genedlaethol ddwywaith. Bu Dorothy Miarczynska hithau'n meithrin ei dawn actio'n lleol yn Llanuwchllyn cyn llwyddo i gael rhan yng nghyfres y BBC, *Y Stafell Ddirgel*, yn 1971. Ysgrifennu sgriptiau a chyflwyno ar y cyfryngau fu Margaret Lloyd Hughes yn y chwedegau, gan fanteisio o'i phrofiad yn athrawes i baratoi storïau i blant bach a chyflwyno cyfres boblogaidd TWW *Croeso Christine* i ddysgwyr. Eto, pan symudodd y teulu i Aberystwyth oherwydd swydd ei gŵr, ganol y chwedegau, bu'n rhaid iddi roi heibio'r gwaith hwn, 'dyna'r ystyriaeth yr adeg hynny', meddai, 'swydd y gŵr oedd yn hollbwysig.' Cafodd Mary Wiliam, Tredegar, ddwy swydd unigryw ar ôl ei gilydd yn y pum- a'r chwedegau. Ar ôl graddio, penodwyd hi'n ymchwilydd tafodieithoedd yn Amgueddfa Werin Cymru a disgrifia ei phrofiad cyntaf o waith maes fel 'erchyll, erchyll'. Anfonwyd hi i Lanfyllin â chês a pheiriant recordio heb fawr hyfforddiant a darganfod bod y ffordd o fyw yno 'mor ddieithr â bywyd yn Siberia' iddi. Yn raddol daeth i fwynhau'r her ond ar ôl tair blynedd, cynigiwyd swydd iddi'n cyflwyno rhaglen nosweithiol, ddogfennol *Heddiw* ar y BBC gydag Owen Edwards, Hywel Gwynfryn ac eraill, a daeth yn wyneb a chyflwynwraig gyfarwydd ar y teledu.

CAMEO

Charlotte Lilian Smith

Pefria balchder trwy lais **Charlotte Lilian Smith** (Porth-y-rhyd, 1912-2010) wrth iddi ddisgrifio'i gyrfa yn ysgrifenyddes rhwng 1930 ac 1975.

Glöwr oedd tad Lilian ond bu farw pan oedd hi'n flwydd oed a gadael ei mam yn weddw ac yn fam i bump o feibion a phedair merch. Oherwydd hunan-falchder wnâi hi ddim gofyn am gymorth i fagu'i theulu a gweithiodd yn eithriadol o galed i gynnal ei haelwyd. Roedd glendid yn bwysig iawn, iawn i'w mam, medd Lilian – roedd rhaid 'cadw'ch corff, dillad, tŷ a thafod yn lân.' Cafodd pob un o'r plant yrfaoedd llwyddiannus, yn eu plith roedd gweinidog, teilwres, colier, cyfarwyddwr cwmni yn Llundain a nyrs.

Oherwydd gwendid corfforol ni safodd Lilian y *scholarship* yn Ysgol Eglwys Llanddarog a 'chollodd y cyfle' i fynd i Ysgol Ramadeg y Merched, Caerfyrddin. Yn hytrach, aeth i'r *Commercial School* yng Ngholeg Myrddin, lle bu'n dysgu llaw-fer, cadw llyfrau, teipio a Saesneg. Yn ddeunaw oed dechreuodd weithio mewn swyddfa cyfanwerthwr yng Nghaerfyrddin ac ennill deg swllt yr wythnos. Gwariai ei hanner ar deithio ar y bysys yn ôl ac ymlaen i'r gwaith. Oddi yno bu yn swyddfa cwmni cyfreithwyr *Howell Davies and Company* am naw mlynedd, gan ennill £1. 10s yr wythnos a mwynhau'r her o ddysgu am gyfreitha. Mae'n ddiddorol sylwi mai geirfa Saesneg sydd ganddi wrth ddisgrifio gwaith swyddfa; yn wir, noda 'siarades i ddim Cymrâg mewn swyddfa nes bo fi'n mynd i'r Coleg' (Coleg y Drindod yn 1967).

Daeth tro ar ei byd yn 1939 pan sefydlwyd Adran Addysg Cyngor Sir Gaerfyrddin a dyrchafu John Edward Mason yn Gyfarwyddwr arni. Roedd e'n awyddus i benodi menyw yn ysgrifenyddes. Ymgeisiodd cant am y swydd, '*and I was the one he chose!*' meddai Lilian yn llawn balchder. Dyma swydd ddiogel a phensiwn iddi. Bu bron yn edifar ganddi, fodd bynnag, oherwydd roedd yn feistr caled ac 'yn siarad lawr â chi', ond yna, un diwrnod canmolodd ef hi am gadw i fyny'n ardderchog â'r llaw-fer wrth iddo ef siarad. Hi oedd y fenyw gyntaf i'w phenodi a'r unig un yn y swyddfa brysur nes i'r Rhyfel hawlio'r dynion. Byddai bob amser yn ceisio gwisgo'n barchus-briodol ar gyfer ei swydd, '*always neat, not fussy, always clean*' a byddai'n hyfforddi 'ei merched' i ateb y ffôn yn gwrtais. Cofia'n dda mai ei hadran hi oedd yn gyfrifol am drefnu llety a bysys i gludo'r faciwîs a ddaeth o Lundain yn 1941 a golygai hynny weithio oriau'n ychwanegol. Pan oedd gyda'r Cyngor Sir ymunodd ag undeb y *National and Local Government Officers' Association* am y tro cyntaf. Cafodd fynychu cyfarfodydd y cynghorwyr a sylweddoli bod llawer o'r penderfyniadau yn cael eu gwneud yn y dirgel.

Wedi diwedd y Rhyfel daeth awydd arni i fentro i Lundain. Bu'n gweithio i gwmni yswiriant yn Lincoln's Inn Field, yr unig Gymraes, '*Miss Smith from Wales*', o blith cant o staff, y mwyafrif o ysgolion preifat. Ond dychwelodd i Gyngor Sir Gaerfyrddin yn 1949 ac yna i Goleg y Drindod. Ymddeolodd, wedi 45 mlynedd yn gweithio mewn swyddfa, yn 1975.

Pennod 4
CARU, PRIODI a MAGU TEULU

'Pa un ddaw gyntaf – y cyw neu'r wy?' – dyna'r cwestiwn oesol wrth drafod materion caru, priodi a magu teulu. Ond, gan mai hanesion y menywod eu hunain sy'n bwysig yn y gyfrol hon, dichon mai gyda'r mislif a'u deffroad rhywiol personol nhw y dylid dechrau.

Roedd sôn am ryw yn dabŵ yn y cyfnod dan sylw. 'Stwff dan y flanced' oedd e, medd Mattie Evans, Pencarreg, ac yn 'wrthun mewn ffordd', yn ôl siaradwraig o Lanrug. Doedd dim trafod y *facts of life* – *'Never in Europe – never'*, tystia Mary Davies, Y Foel, ond eto, cyfaddefa os oeddech 'wedi cael eich magu ar ffarm roedd rhaid eich bod yn dwp ofnadwy i beidio dysgu rhywbeth!' Eithriad felly oedd mam Gwynneth Rowlands, Benllech, nyrs a oedd yn 'reit agorad' am ryw, er nad oedd hithau'n 'deud y cwbwl, 'chwaith.' Byddai eraill yn rhoi llyfr pwrpasol i'w merched ei ddarllen. *What every Young Lady ought to Know*, llyfr Fictoraidd a bregethai fod mwynhau rhyw yn bechadurus, gafodd Margaretta Hughes, Hendy-gwyn ar Daf yn ganllaw gan ei mam, ond yn y chwedegau gallai Eirwen Jones, Llansannan, a'i ffrindiau droi at *Lady Chatterley's Lover*, i ddiwallu'u hawch am wybodaeth am gyfathrach rywiol.

Doedd mwyafrif mamau'r cyfnod ddim yn paratoi eu merched ar gyfer dechrau'r mislif a dibynnid ar gynghorion chwiorydd neu ferched hŷn. Dyna pam y cafodd siaradwraig o Borthmadog y fath sioc pan ddechreuodd waedu ar y trên ar y ffordd i Bwllheli, 'Dyma fi'n mynd i'r *toilet*', meddai, 'a dyma fi'n gweld golwg arnaf i fy hun. O'n i'n meddwl bod 'na rwbath mawr wedi digwydd i 'nghorff i. O'n i 'di dychryn'. Hyd yn oed pan ddwedodd wrth ei mam, yr unig gyfarwyddyd gafodd hi oedd, 'Rhaid i ti fod yn ofalus rŵan efo hogia.' Fel llawer o'i chyfoedion, roedd gormod o embaras arni i ofyn beth oedd ystyr hynny. Clytiau wedi'u darparu gan eu mamau a ddefnyddiai'r rhan fwyaf o'r merched ifainc. Roedd cadachau mislif masnachol yn rhy ddrud ac felly torrent glytiau o hen dywelion a rhoi pinnau cau i'w dal yn eu lle. Ar ôl eu defnyddio caent eu socian mewn dŵr oer a halen, eu berwi mewn sosban bwrpasol nes eu bod, chwedl Eileen Williams, Hendy-gwyn ar Daf, 'yn wyn neis', a'u hail-ddefnyddio. Ond gallai hynny fod yn drafferthus iawn i ferched a fyddai'n lletya dros wythnos ysgol neu yn y coleg. Daw hynny'n fyw yn nhystiolaeth Buddug Thomas, Llanbrynmair:

> O'n i'n lodjo... jwg a bowlen yn y bedrwm oedd i 'molchi. Ac felly roedd rhaid lapio rhain mewn papur a mynd â nhw adre (ar y bws) ar nos Wener ac oedd hwnna yn broblem ofnadwy... Wedyn yn y coleg, doedden nhw ddim yn rhoi cyfarwyddiade i ni beth i neud â tywels brwnt. Ac felly oeddan ni yn rhoi nhw lawr *toilet*. Dynion allan... byth dragwyddol yn cwyno bod y lle wedi blocio.

Ar ben hyn roedd nifer o ofergoelion yn cyfyngu byd merched adeg y mislif. Ni ddylid cael bàth, golchi gwallt na chymryd rhan mewn chwaraeon yn yr ysgol, meddid. Newidiodd yr agweddau hyn yn sylfaenol pan ddaeth tamponau yn gyffredin ganol y chwedegau, er bod ofergoel arall am rai blynyddoedd mai dim ond menywod priod ddylai eu defnyddio ac nad 'oeddach chi'n neis iawn os oeddach chi'n eu hiwsho nhw', yn ôl siaradwraig o Lanfair Pwllgwyngyll.

Gan fod oriau gwaith yn hir ac oriau hamdden yn brin, roedd hi'n anodd i bobl ifainc 'slawer dydd gael cyfle i gwrdd â darpar gariadon. Roedd rhieni yn warchodol iawn, yn enwedig o'u merched, rhag iddynt 'fynd i drwbwl' neu 'ddod nôl â gofid' i'r cartref. Yng nghefn gwlad roeddent yn ddibynnol ar galendr y flwyddyn amaethyddol a gweithgareddau'r capeli i roi strwythur i'r cwrdd ac adleisia'r cyfweliadau sawl hen arfer caru gwerin. Cofiai May Lewis, Mynachlog-ddu, a siaradwraig o Sanclêr, yr arfer o 'gnoco', lle byddai'r carwr yn taflu graean at ffenest ystafell wely merch ifanc a'i chymell i adael iddo ddod i mewn, a hynny yn y tridegau cynnar. Ceir adlais o ddefod ffrwythlonedd baganaidd yn yr arfer a gofnoda Sylwen Lloyd Davies, adeg cneifio yn ardal Y Parc, ganol y pumdegau. Disgrifia sut y câi merched ifainc (gwyryfon?) eu cipio, eu taflu i'r barcloth (sach ddal gwlân) a'u hysgwyd yn dda.

Daliai'r ffeiriau lleol yn eu grym yn y calendr carwriaethol hyd at ganol yr ugeinfed ganrif. Rhoddodd darpar gariad Mag Williams 'winc arna i' yn Ffair Aberteifi, meddai; a bu Mary Davies, Y Foel, yn dilyn ffeiriau, yn enwedig Ffair Ffyliaid Llanerfyl ar 7 Mai. 'Os na chaech chi gariad yno', meddai, 'roedd hi'n ddrwg iawn arnoch chi.' Hyd yn oed yn y pumdegau, roedd Ffair Llanllyfni yn lle da i 'wneud *points*', yn ôl Mary Hughes, Clynnog Fawr. Daeth y Clybiau Ffermwyr Ifanc i'w disodli'n raddol yn y pedwar- a'r pumdegau, ''Na le o'dd caru mynd 'mlân,' meddai

Lettie Vaughan, a hithau wedi bod yn aelod yng nghlybiau Felin-fach, Cellan a Llanfair Clydogau. Ategai Mair Owen, Tregaron, hynny gan mai yng nghlwb Llangeitho y cyfarfu hi â'i darpar ŵr tua 1950.

Yn sicr roedd y cyfarfodydd crefyddol lluosog yn cynnig cyfleoedd carwriaethol heb eu hail. Sonnir am fynychu cyrddau gweddi, cyrddau pobl ifanc a chyrddau Beiblaidd ar y perwyl hwn yn bennaf oll, i gael cyfle i sbecian a bachu'r talent lleol. Ond y 'paradan', chwedl y deheuwyr, ar ôl yr oedfaon oedd bwysicaf. Roedd y 'mynci parêd', y *bunny run*, yn ardal Abertawe, neu'r arfer o 'lyfnu', yn Llangefni, lle cerddai'r merched a'r bechgyn ar wahân ar hyd llwybrau penodol i ddewis cariad a dychwelyd wedi 'clico' yn ddefod boblogaidd dros ben. Byddai'r heol rhwng Rhydaman a Llandybïe 'yn dew o bobol ifanc bob nos Sul' ar gyfer y mynci parêd, tystia Margaret Jones a chefnogir hyn gan hanesion tebyg o Lanelli, Pontarddulais, Caerfyrddin, Cross Hands, ac Abertawe. Mewn rhai ardaloedd byddai'r ieuenctid yn 'paradan' ar nosweithiau Mercher a Sadwrn yn ogystal.

Rhoddai eisteddfodau pentref gyfleoedd tebyg i'r ifanc, ar ôl iddynt orffen cystadlu wrth gwrs, ond dengys disgrifiad graffig Gwyneth Evans, Tanygrisiau, nad oedd y gyfathrach rhwng y rhywiau mor gyfartal na diniwed ag y tybid droeon:

> Fyddan ni'n mynd i ryw lefydd fel Rhyd-y-main, Melin-y-coed... a rhyw lefydd go wyllt.... O'dd 'na ryw ryddid i fechgyn 'i thrio hi... Dwi'n cofio fyddan nhw'n aros tu fas y dryse... am i'r merched ddod mas ac yn rhuthro amdanyn nhw... Ond rhywbeth i ymladd yn 'i erbyn ac i roi cic iddyn nhw... neu i redeg o'u gafel nhw oedd y peth ar y pryd, dim rhywbeth o'ch chi'n weld fel rhyw sen arnoch chi fel merch, nag yn rhywbeth i fynd i gyfraith ynglŷn â fe.

Yn anffodus, mae'r disgrifiad hwn yn rhagarwydd o'r ddadl gyfoes am aflonyddu rhywiol a ffiniau annelwig hynny.

Roedd rhieni, a thadau yn arbennig, yn ddrwgdybus o beryglon dawnsio ac mae tystiolaeth siaradwraig o Flaenau Ffestiniog yn crisialu profiadau'r mwyafrif llethol. 'Doedd o ddim yn dderbyniol i fynd i ddawnsio', eglura, 'ddoth 'na ddosbarth dysgu dawnsio... i 'Stiniog', roedd hithau'n 'sâl isho mynd' iddo ond gwrthwynebai ei thad, 'Ma dawnsio'n iawn,' medda fo, '... be sy'n digwydd ar ôl y dawnsfeydd 'ma sydd ddim yn iawn.' Roedd agweddau'n fwy caeth fyth adeg yr Ail Ryfel Byd pan oedd milwyr ac Americanwyr amheus yn denu merched penchwiban i'w canlyn. Ond roedd herio a goresgyn y gwaharddiadau'n hwyl. Hyd yn oed er bod cariad ganddi nid oedd tad Dora Griffiths yn fodlon iddynt fynd i'r *Police Ball* yn y *Barracks* yng Nghaerfyrddin yn y pedwardegau. Ond byddai hi'n trefnu mynd â'i ffrog ddawns i gartref ei brawd ymlaen llaw i osgoi llygad barcud ei thad. Fel y gellid disgwyl roedd rhamant y sinemâu'n denu cariadon hefyd. Nod Edna Williams wrth fynd i'r pictiwrs yn Amlwch yn y pedwardegau oedd cael hyd i 'foi bach hurt' i dalu drosti ac ym Mrynaman, yn ôl Valerie James, rhyw garu bach diniwed a geid. Âi'r parau i mewn ar wahân, meddai, ond wedi diffodd y golau, byddai'r seddau 'yn clatshan' wrth i'r cariadon newid lle.

Petai dau gariad yn ymserchu, doedd cyd-fyw ddim yn opsiwn cymeradwy o gwbl ac roedd y siaradwyr ar y cyfan yn daer yn erbyn hynny. Dywed Laura Williams, Tudweiliog, 'Dwi ddim yn lecio hynna. 'W'rach mod i'n gul... Dwi ddim yn weld o'n *fair* ar y plant... ma isho i blant fod rownd bwr' yn bwyta efo'i gilydd efo'r rhieni.' A chytuna Megan Roberts, Bryneglwys, 'O'dd byw efo'ch gilydd heb briodi... os o'ch chi'n aelod o gapel 'sa chi'm yn meddwl gwneud hynna.' Eto, gwelai ambell siaradwraig rinwedd mewn cyd-fyw yn hytrach na phriodi ac wedyn ysgaru. Prin yw'r sôn am ddyweddïo, er bod llawer o'r siaradwyr wedi bod yn canlyn am flynyddoedd. 'Dim ond byddigions oedd yn engajo', yn ôl Alice Morris, Licswm, a bu Sally Evans, Felindre, yn canlyn Trevor, ei hunig sboner, am saith mlynedd, ond dim ond ar ôl pum mlynedd a dyweddïo y cafodd ddod i'w chartref. Roedd cael modrwy ddyweddïo yn bwysig i Ruby Salmon, o ardal Solfach, ond roedd cael gŵr yn bwysicach fyth. Uchelgais pob menyw, honna, oedd magu teulu am mai ei rôl ddyrchafedig, ddisgwyliedig mewn bywyd oedd bod yn wraig ac yn fam.

Rhoddid cryn bwysau ar ferched i briodi. Yn wir, roedd stigma mewn bod yn ddi-briod. 'Rhoi'r caws tu allan i'r drws' oedd dywediad ardal Carno am bwyso ar ferch i briodi, yn ôl Margaret Lloyd. Roedd cael y cymar cymwys yn bwysig i rai teuluoedd. Tynnwyd coes darpar ŵr Margaret Davies, Beulah, na fyddai athrawes werth dim byd iddo fel ffermwr a phan awgrymwyd enw Ann John, Llan-y-cefn, fel darpar wraig i un o 'fois' y fro, ei ateb oedd 'O na, fi ishe rhywun sy'n gwisgo ffedog sach a ddim yn car bob dydd.' Fodd bynnag, myn Enid Jones, Nantlle, i'r gwrthwyneb oherwydd roedd ei rhieni hi'n siomedig pan benderfynodd hi briodi yn syth wedi hyfforddi'n athrawes yn 22 oed yn 1958. Teimlent nad oedd hi wedi'u had-dalu am ei haddysg.

Wrth sôn am eu diwrnod priodas cofir am arferion gwerin a liwiai'r achlysur. Cyfeirir at yr hen ddefod greulon o anfon ffon wen wedi ei haddurno â rhuban du a phennill coeglyd at garwr aflwyddiannus ar achlysur priodi hen gariad a thystia Dwynwen Jones, Llanerfyl, iddi hi ei hun dderbyn ffon wen o'r fath. Croniclir llu o atgofion hwyliog am y dulliau dyfeisgar a ddefnyddid yng nghefn gwlad i rwystro ffordd y briodferch, a'r priodfab weithiau, i'r capel neu'r eglwys, gan gynnwys llenwi'r ffordd ag injan ddyrnu, stêm-roler neu goeden, gollwng gwartheg i'r lôn, neu roi giatiau ar ei thraws. Mae'r ddefod o ddal cwinten (neu raff), sy'n deillio o'r Oesoedd Canol, yn dal yn boblogaidd, yn enwedig yng nghefn gwlad, heddiw. Pan briododd Mareth Lewis, Cwrtnewydd, yn 1949 bu'n rhaid talu i groesi 25 cwinten. Weithiau crogid blodau arni, dro arall hen ddillad a dyma un o'r rhwystrau y bu'n rhaid i Megan Griffiths, Sarnau, ei oresgyn ar ddiwrnod ei phriodas hi yn 1945:

> (Roedd) rhywun wedi rhoi hen ddillad, lein ar draws yr allt. A wedyn cyrraedd Pen'rallt – oedd 'na ddyn gwellt ar dop yr allt wedi'i wneud yn berffaith a motobeic Oedd hwnnw ar ganol y ffordd. Wedyn draw am fferm Coedybeda oedd 'na lori laeth a canie llaeth ynddi, (a) Gwyneth Coedybeda a Mair Ty'ncoed mewn cotie gwynion yn trio handlo'r canie llaeth. A wedyn wedi i ni fynd i Parc Cefnddwysarn Robert Ellis druan mewn rhyw hen dun crwn mawr – hwnnw ar ganol y ffordd.

Does ryfedd ei bod yn hwyr yn cyrraedd y capel!

Arfer arall cyffredin oedd saethu i'r awyr fel y cyrhaeddai'r briodferch y capel, ac wrth i'r pâr priod adael. Cofia Jane Evans, Y Parc, '(g)weision y ffermydd yn fataliwn yn saethu'. Sonia hefyd am wneud bwa o ddail bythwyrdd a blodau uwchben giât y capel - arfer poblogaidd hyd heddiw. Yn ardal Abertawe, yn ôl Mair Matthewson, Gellifedw, trefnid bod 'dyn glanhau shwmle... yn dod yn frwnt fel roedd e', i groesi'r ffordd o flaen y pâr priodasol i ddod â lwc iddynt.

Amrywiai nifer y gwesteion priodas yn unol â dewis ac incwm y teulu ac mae'n amhosibl cyffredinoli. Mae sylw bachog Eirlys Peris Davies, Castellnewydd Emlyn, mai ffrindiau ei rheini, sef pregethwyr di-rif a'u gwragedd, nid ei ffrindiau hi, oedd y gwesteion, ac roedd hynny'n nodweddiadol o'r cyfnod. Disgrifia sawl siaradwraig ei gwisg briodas ag afiaith, a darlunia'u lluniau'r amrywiaeth ffasiynau ar hyd y cyfnod.

Priodasau ar hyd y degawdau 1930au: William Beynon Davies a briododd Catherine Mary (May) James yng nghapel yr Annibynwyr, Siloh, Llan-non, Ceredigion, yn 1936. (Llun: Casgliad Esyllt Jones)

Priodasau ar hyd y degawdau 1940au: Trefor Evans a Sally Jones a briododd yng nghapel Nebo, Felindre, Abertawe yn 1942, adeg y Rhyfel. Dim ond naw oedd yn y briodas a gwisgai Sally siwt two piece *las, o waith Jinnie Thomas o Bont-lliw. Cawsant y brecwast priodas yng ngwesty'r Mackworth, Abertawe, ac oherwydd y Rhyfel aethant i Bontsenni ar eu mis mêl. Bu hi a Trefor yn caru am saith mlynedd a dim ond ar ôl dyweddïo ymhen pum mlynedd y caniatawyd iddo ef ddod i mewn i'w chartref. (Llun: Casgliad Jennifer Clarke)*

Wedi lliniaru llymder y Rhyfel y daeth bri ar gael *going away outfit* o ffrog a chot neu 'gostiwm'. Mae atgofion Nan Davies, Creunant, o ymdopi â thelegramau priodas lluosog wrth ei gwaith yn y Swyddfa Bost yn ein hatgoffa o'r amser a gymerai i'w darllen yn ystod y wledd briodas hefyd.

Y drefn gyffredin oedd cynnal y wledd briodas yn festri'r capel. Mam y briodferch a'r cymdogion benywaidd fyddai wedi gwneud y bwyd a hwy fyddai'n gweini, gan amlaf. Cig oer a threiffl fyddai'r wledd a fyddai dim

Priodasau ar hyd y degawdau 1960au: John Davies a Glenys Daniel a briododd yn eglwys Mydroilyn, Ceredigion, yn 1960. Daeth y pentref cyfan allan i ddathlu'r briodas a bu'n rhaid talu arian i symud y rhaff (y gwinten) a ddaliai'r plant ar draws y ffordd. (Llun: Casgliad Glenys Davies)

sôn am ddiod feddwol, er bod gwin cymundeb dialcohol yn dderbyniol. Cofia Gwenda Lloyd Jones, Nantcol, ei mam yn gwneud lemonêd cartref ar gyfer y llwncdestunau pan briododd hi yn 1961. Petai mwy o fodd, a'r briodas yn un fawr, eid i westy. Pan briododd Iona Davies, Llanfyrnach, yn 1956, roedd cant o westeion wedi mwynhau gwledd briodas o ginio twym tri chwrs yng ngwesty'r Cliff, Gwbert, ond eithriadau oedd gwleddoedd o'r fath, a pherthynant i'r cyfnod wedi'r Rhyfel yn bennaf. Gallai ambell siaradwraig gofio'r union gost. Cynhaliwyd gwledd briodas Beryl Jones, Dinbych, o salad a ham, cacennau, bara brith, treiffl a chacen briodas dair haen mewn caffi yn Rhuthun yn 1947 a thalwyd pum swllt y pen i 60 o westeion. Gallai Marina Davies, Cwmllynfell, fanylu ymhellach. Cofia mai £21 oedd cost y wledd i 80 gwestai; gwnaeth ei ffrog briodas ei hun am £3, talodd £5 am *veil*, £5 am goron fechan a £5 am esgidiau, yn 1956. Ceir ambell gyfeiriad at fynd ar fis mêl, ar y trên i Lundain neu i Aberystwyth, gan gario eu bwyd gyda nhw i wraig y llety ei goginio yn achos Mattie Evans, Pencarreg.

Y nod i'r mwyafrif ar ôl priodi oedd planta, ond ychydig o gynllunio teulu trwy ddulliau modern a geid. Rhybuddiodd mam Betty Treflys Jones, Llanrhaeadr-ym-mochnant, hi, 'Beth sy ar dy gyfer di, sy i ti,' a wnaeth hi na'i gŵr ddim defnyddio dulliau atal cenhedlu erioed. 'Jobyn y dyn' oedd sicrhau condomau yn ôl Ray Tobias, Crug-y-bar, a dywed Mair Williams, Llanelli, fod ei 'gŵr caredig iawn' yn eu prynu *'very under the counter and hush-hush',* cyn dechrau eu harchebu drwy'r post. Gan nad oedd clinigau pwrpasol ym mhob ardal roedd hi'n anodd cael cyngor. Roedd Mr Lake, gweinidog ym Mlaenau Ffestiniog yn y chwedegau yn 'ŵr blaengar a chwyldroadol ei agweddau', medd Ellen Evans, ond câi ei wawdio gan rai am gynnal cyfarfodydd cynllunio teulu i gyplau ar fin priodi. Teithiodd siaradwraig o Langennech i glinig yn Abertawe 'ond mawr o'dd y sïans', gan iddi orfod rhoi manylion dyddiad a lleoliad ei phriodas ac enw'r offeiriad, cyn cael cyflenwad o weiniau a jél. *Dutch cap* gynigiwyd i siaradwraig o Bwllheli, pan oedd ar fin priodi ond roedd yn drafferthus i'w ddefnyddio. Bu'n rhyddhad iddi hi ac i filoedd ar filoedd o fenywod eraill pan gyflwynwyd y bilsen atal cenhedlu chwyldroadol ganol y chwedegau a chaniatáu o'r diwedd i fenywod reoli eu cyrff eu hunain. Beth olygai hynny i'r menywod a holwyd? 'Wel, peidio poeni, ynte', medd Ellen Evans eto.

O bryd i'w gilydd byddai merched dibriod yn beichiogi. Cywilydd, stigma, gwarth a phechod oedd agwedd y gymdeithas a'u teuluoedd at hynny, droeon. Wnâi mam siaradwraig o ardal Banc Siôn Cwilt ddim caniatáu iddi ddod i olwg y clos o gywilydd, rhag ofn y galwai ymwelwyr, a châi ei hanfon i'r gweunydd i gloddio ffosydd gyda'r gwas. Na, meddai 'o'ch chi ddim yn ca'l dim maldod; o'ch chi'n ca'l 'ch erlid.' Pan gafodd hi ei hun yn feichiog am yr eildro ymhen dwy flynedd, gorfodwyd hi i briodi'r tad 'ta pwy o'dd e'. Triniaeth gyffelyb gafodd mam ddibriod o Lanwddyn, 'Gesh i row reit dda,' meddai a'i chadw o olwg y byd, ond unwaith i'r baban gyrraedd, ymserchodd ei theulu ynddo. 'Llanast' oedd i siaradwraig o'r Ffôr feichiogi cyn priodi ei darpar ŵr, meddai, ond yna, priododd a theimlo iddi 'gyfiawnhau rywfaint' ar ei sefyllfa. Dwedodd rhyw ddwsin o'r siaradwyr a holwyd iddynt feichiogi cyn priodi ac mae'r drefn arferol oedd priodi'r tad cyn geni'r baban. Mae sylwadau Nesta Jones, Llandygái, am agweddau gwahanol deheuwyr a gogleddwyr yn ddadlennol yn y cyswllt hwn. Teimlai hi fod gogleddwyr yn tueddu i weld bai ar y ferch am ei chyflwr, ond roedd y deheuwyr, meddai, yn fwy trugarog. Yn wir, yn Ystalyfera dywedid i ferch 'gael twyll', gan weld mwy o fai ar y tad.

Ffawd mamau beichiog eraill oedd cael eu hanfon i hosteli pwrpasol yn Abertawe neu Gaerdydd. Cofia'r fydwraig Nan Hughes, a weithiai yn ardal Pont-iets yn y pumdegau, drefnu hyn ar eu rhan a châi'r babanod eu rhoi i'w mabwysiadu gan amlaf. Y fam-gu fyddai'n trefnu iddi alw yn y cartref – gyda'r nos, fel na châi ei gweld. Cafodd Margarette Hughes ei chymell gan wraig offeiriad llcol yn ardal Yr Eglwys Lwyd, ger Arberth, i helpu mamau o'r fath. Bu un fam feichiog yn lletya yn ei chartref am chwe mis a phan ddaeth awr ei thymp hebryngodd Margarette hi i'r ysbyty yn Hwlffordd. Roedd y fam hon yn torri ei chalon wrth feddwl am roi'i baban i'w fabwysiadu, ond felly y bu. Daeth sawl un arall ati wedyn, a dychwelyd yno gyda'u babanod ar ôl rhoi genedigaeth hyd nes i'w teuluoedd eu derbyn yn ôl adref. Agorodd y weithwraig gymdeithasol, Ifanwy Williams, ward arbennig mewn ysbyty yng Nghaerdydd ar gyfer mamau dibriod newydd esgor, i roi cyfle iddynt ddod i adnabod eu babanod, cyn gorfod penderfynu ar eu dyfodol. I'r wyrcws yn Llanrwst yr âi'r fam ddibriod a adawyd ar y clwt gan ei chariad a'i theulu, yn ôl Laura Jones, Capel Curig.

Yn y cyswllt hwn, mae'n anodd deall agweddau capeli anghydffurfiol at famau dibriod a oedd yn aelodau ynddynt. Gweinyddid cosb gyhoeddus o'u diarddel neu eu 'torri mas'. Disgrifia Laura Jones y gosb hon ddechrau'r cyfnod: byddai'r gweinidog neu'r blaenor yn codi ar ei draed ac yn nodi bod hon-a-hon wedi beichiogi, ac na fyddai hi'n aelod o'r capel mwyach. Yna codai'r ferch ar ei thraed a cherdded allan o flaen pawb. Yn aml iawn, fyddai teulu'r ferch ddim yn mynychu gwasanaethau'r capel wedyn 'chwaith o gyd-gywilydd. Eto, o fewn cof mwyafrif y siaradwyr, ac roedd nifer fawr ohonynt yn cofio'r arfer yn dda, nid oedd seremoni ddiarddel fel y cyfryw – dim ond seremoni 'gofyn am ei lle'n ôl' i'w 'hail-dderbyn yn aelod'. Yn y cyfnod diweddarach hwn, diarddelai'r mamau dibriod eu hunain dros gyfnod eu beichiogrwydd rhag gorfod dioddef stigma'r 'torri mas' cyhoeddus. Yn y Cwrdd Paratoad neu'r Seiat, cyn Sul y Cymundeb y digwyddai seremoni'r derbyn yn ôl, ac amrywiai'r ddefod o gapel i gapel. Disgrifia Edwina Lewis, Rhydargaeau, y drefn yng Nghapel Methodistaidd Penygraig tua 1956, sef bod y fam yn sefyll ar ei thraed o flaen y diaconiaid a hwythau'n gofyn iddi a oedd yn edifarhau am ei phechod. Yna gofynnid i'r gynulleidfa gydsynio i'w derbyn yn ôl trwy godi llaw. Pwysleisir na cheid defod o'r fath yn yr Eglwys yng Nghymru ac o'r herwydd gadawodd sawl mam ddibriod y capel ac ymaelodi gyda'r eglwys. Yr oedd gan eglwyswyr eu defod eu hunain i dderbyn mam yn ôl 'i'w phuro' wedi genedigaeth, sef 'eglwysa', a chofia Megan Roberts, Pen-y-cae, weld y seremoni hon yn Eglwys Llanfairfechan yn y pumdegau. Ymddengys i'r arferion hyn bara tan ddechrau'r chwedegau pan ddechreuwyd cwestiynu eu moesoldeb. Senario ychydig yn wahanol, ond yr un mor anfaddeugar, a gofiai Marlis Jones, mewn capel ym Methesda tua 1948. Roedd ei modryb wedi ysgaru oherwydd amgylchiadau anodd ac adeg y Cymun gwrthodai un blaenor estyn y cwpan iddi. O'r herwydd penderfynodd ei modryb ei thorri ei hun allan o'r Cymundeb a gadael y capel yn gynnar, cyn rhoi cyfle i'r blaenor ei chywilyddio fel hyn eto.

Beth oedd agweddau'r menywod a holwyd at y ddefod hon? Derbyniai rhai'r drefn, 'Y newis i oedd gneud, nid bod neb wedi'n stopio fi (rhag dod i'r capel)… Dyna o'dd y drefn,' meddai mam ddibriod o Bentrefoelas. Pan fu'n rhaid i siaradwraig o Lanpumsaint ofyn am ei lle yn ôl teimlai yn 'eitha' cysurus' am y sefyllfa, meddai, a wnaeth y gweinidog ddim 'un ffys'. Gwrthodai ambell weinidog weinyddu'r gosb lem er gwaethaf pwysau gan flaenoriaid, diaconiaid neu dadau. Dull y Parch. Tegryn Davies, yn ôl Margaret Davies, Beulah, oedd dweud wrth y fam a oedd 'wedi mynd dros y ffordd, "Cymerwch eich bod wedi cael eich derbyn yn ôl yn aelod i'r Eglwys" a rhoi gwên fach.' Ond roedd mwyafrif y siaradwyr yn condemnio'r arfer yn llwyr. Petai'n digwydd iddi heddiw, meddai siaradwraig o Lanfair Pwllgwyngyll, âi hi fyth ar gyfyl capel eto. Tynnir sylw drosodd a thro at yr anghyfiawnder dybryd na chosbid y tad yn gyhoeddus fel hyn, hyd yn oed os oedd yn aelod yn y capel. Crisiala geiriau Beti Hughes, Abersoch, agweddau'r mwyafrif, 'o'dd o'n beth mor ddychrynllyd o greulon, a'r genod 'ma yn lladd 'u hun, crio a ballu. Y dyn, yr hogyn, neb yn sôn am be o'dd o 'di wneud.' Fel y dywed Olwen Williams, Pren-teg, 'byd y dyn o'dd hi adeg hynny' er bod rhai eithriadau, ac ambell dad yn gofyn am gael ei ddiarddel hefyd. Barn ddigyfaddawd siaradwraig o Sanclêr am y rhagrith anghristnogol hwn oedd, 'Dylech chi saethu nhw i gyd… Sdim rhyfedd fod y capeli'n wag.'

Prin yw'r siaradwyr sy'n trafod effaith hyn ar y baban ei hun. Daw un hanesyn gan siaradwraig o ardal Penllyn. Beichiogodd ei mam yn ddeunaw oed a mynnodd ei chadw ar ôl yr enedigaeth. Nid oedd yn bosibl i'w rhieni briodi ar y pryd ond llwyddwyd i wneud hynny pan oedd hi ychydig fisoedd oed. Bu'n ymwybodol ei bod yn blentyn siawns a'i bod wedi 'cario pechod ei mam' ar hyd ei hoes, meddai. Noda i'w thad gael ei dorri allan o'r capel hefyd ar ôl ei geni. Prin hefyd yw unrhyw dystiolaeth am erthylu babanod yn y cyfnod dan sylw, er bod y fydwraig Nan Hughes, yn ymwybodol fod llefydd yn ardal Pont-iets a gyflawnai erthyliadau anghyfreithlon a gallai ddisgrifio rhai o'r prosesau peryglus a ddefnyddid. Yn eu plith, yn ôl y fydwraig Olive Thomas, roedd yfed jin, cael bàth twym a defnyddio rhisgl *slippery elm* nes bod y fam yn gwaedu. Ceid dywediad yn ardal Rhydaman fod 'lot o blant yn Pantyffynnon' (sef i lawr y toiled) pan oedd erthylu'n anghyfreithlon. Pasiwyd y Ddeddf Erthylu yn 1967 gan wneud erthylu'n gyfreithlon ym Mhrydain.

Rhwng 1920 a'r chwedegau roedd geni babanod yn y cartref yn dal mewn bri - hyd at eu hanner yn ôl y fydwraig, Nan Hughes, hyd yn oed ddechrau'r chwedegau. Cofiai'r menywod hŷn gyfraniad y 'widwith' ddihyfforddiant, amatur a fyddai wrth wely esgor yn y cyfnod hwn. Gan fod yn rhaid talu am wasanaeth meddyg neu fydwraig broffesiynol, dewisai llawer ddibynnu ar yr amaturiaid hyn. Daeth hyn i ben yn 1936 gyda Deddf y Bydwragedd ac er y byddai mamau yn dal i'w hurio ymlaen llaw i 'garco'r tŷ a glanhau' nes bod y fam 'ar ben ei thraed', ni châi bydwragedd dihyfforddiant fod yn gyfrifol am enedigaethau am dâl mwyach. Bu Amelia Jones, Caergybi, yn helpu Nyrs Burke a Nyrs Connor trwy weini ar famau newydd, y byddai'n rhaid iddynt aros yn eu gwlâu am 10-12 diwrnod wedi'r geni, gan lanhau a gwneud bwyd iddynt. Am weithio deuddeg awr y dydd derbyniai dâl o saith swllt yr wythnos. Noda'r bydwragedd proffesiynol hefyd fod yn rhaid galw meddyg petai cymhlethdodau ac na chaent hwy ddefnyddio gefeiliau geni i hwyluso esgor. Rhoddai Nan Hughes enema o ddŵr a sebon gwyrdd i ddechrau'r broses a byddai ganddi bethedin a *gas and air* i leddfu'r boen. Llosgi'r brych a wneid yn y blynyddoedd cynnar

Magu baban mewn siôl yn y ffordd Gymreig. Eryl Williams (née Evans) yn cwtsio ei nith Diane Evans, Pont-iets yn 1941. (Llun: Casgliad Ruth Morgan)

Mary Ifor Jones a'i baban Dilys yn ei phram newydd yn Llanfair Pwllgwyngyll (?) yn 1926. (Llun: Stad Elinor Imhof; trwy garedigrwydd Deryl Imhof)

ond yna disgwylid i'r tad ei gladdu yn yr ardd. Dywed hi hefyd nad oedd bwydo ar y fron yn ffasiynol hyd yn oed yn y chwedegau ac ategir hyn gan ambell siaradwraig. Roedd Margaret Lloyd, Oerffrwd, Clatter, wedi bwriadu bwydo'i baban ei hun ond ar y diwrnod cyntaf yn ysbyty Aberystwyth, dwedodd Chwaer y ward wrthi'n nawddoglyd, '*You're not breastfeeding, are you?*'. Ar ôl sefydlu'r Gwasanaeth Iechyd Gwladol yn 1948 daeth geni mewn ysbytai mamolaeth yn fwyfwy poblogaidd. Cofiai Eunice Iddles, bydwraig yng Nghaerdydd, faban yn cael ei eni yn union cyn hanner nos ar 4 Gorffennaf 1948. Gwyddai y byddai'n rhaid i'r teulu dalu swm a allai fwydo teulu cyfan am wythnos yn 1948 dan yr hen drefn. Gan fod arian yn brin cofnododd i'r baban gael ei eni ar ôl hanner nos ac felly dan y Gwasanaeth Iechyd newydd!

Nid oedd croeso i dadau wrth wely esgor yn y cartref nac mewn ysbyty a hyd yn oed yn 1974, pan fynnodd Diana Roberts, Rhosllannerchrugog, fod y tad yn bresennol ar gyfer geni ei thrydydd plentyn, roedd ei mam yn anghymeradwyo hynny'n fawr iawn. Roedd yr arferion gwerin a reolai ymddygiad y fam wedi'r geni yn lleng a deilliai'r rhain efallai o gredoau hen ffasiwn y bydwragedd amatur. Nid oedd y fam newydd i fod i godi o'r gwely am naw neu ddeng niwrnod; nid oedd i olchi'i dwylo na chael bàth nac ymestyn i roi dillad ar y lein; nid oedd i roi ei dwylo mewn pridd, crafu tatws na thrafod pethau oer ac nid oedd i gael rhyw am chwe wythnos.

Joan Evans gyda'i phlentyn cyntaf, Glenys, yn 1946. (Llun: Casgliad Ceridwen Lloyd-Morgan)

Gwasanaeth Bwyd Maethlon Mamau a'u Plant; Caernarfon, 1951. Yn y rhes flaen mae Miss Hobson, Ymwelydd Iechyd, Mrs Madoc Jones, Cadeirydd Pwyllgor Rheoli Bwyd Gwyrfai, a Miss H Evans, Ymwelydd Iechyd. (Llun: Casgliad Gwyneth Edwards)

Clymid bolster neu 'feinder' am fol y fam i'w chael yn ôl i siâp yn gyflym a rhwymid bogel y baban â 'beinder', nes ei fod, chwedl May Davies, Cwm Gwaun, 'fel borden' neu 'fel mymi bach... yn ffili symud bron,' meddai Betty Davies, Llan-y-bri. Credid bod dŵr glaw yn dda ar gyfer bàth y baban ac na ddylai'r fam fynd allan am fis wedi'r geni. I'r capel y dylai fynd allan gyntaf. Sonia sawl un hefyd am rinweddau magu'r baban mewn siôl yn unol â'r ffasiwn Gymreig. Mae sylw hyfryd Beti Williams, Llanfwrog, yn crisialu teimladau tyner cynifer o'r gwragedd a holwyd am fagu'u babanod, 'Oeddach chi'n ca'l i ryw stad... oeddach chi mewn rhyw gocŵn o fodlonrwydd.'

Ond nid dyna brofiad pawb a siaradodd ambell siaradwraig yn ddewr am ddioddef iselder ôl-eni. Roedd baban cyntaf mam o Lanpumsaint yn grintachlyd iawn ac aeth hithau'n isel-ysbryd, gam deimlo 'fel mogi'r babi' hyd yn oed. Ond yna cafodd gymorth gyda'r gwaith tŷ a gwellodd yn raddol. Hanesyn tebyg a geir gan fam o Feidrim. Darganfu ei thad hi a'r baban yn sgrechian yn ddireolaeth a sicrhaodd help iddi am gyfnod.

Fel y dywed, bu ei mam-yng-nghyfraith yn gefn i'w gŵr tra roedd hi'n orweiddiog, ond 'o'dd hi ddim yn meddwl bod ishe carco fi' hefyd. Teimlo fel ei thaflu ei hun i'r afon wnaeth un siaradwraig ar ôl geni ei baban cyntaf yn ysbyty Aberteifi, ond ni allai feddwl am ladd ei baban. Treuliodd gyfnod gyda'i mam a gwellodd hithau'n raddol. Doedd dim dealltwriaeth na chydymdeimlad â'r cyflwr meddwl hwn, hyd yn oed yn y pumdegau. '*You're not the first woman to have a baby*', oedd sylw dideimlad meddyg gwraig o Gorwen yn 1955 ac er i fam o Lansannan siarad â meddyg ifanc cefnogol a chael pob cymorth gan ei theulu, nid oedd iselder ôl-eni, meddai, yn cael ei ystyried yn salwch yn 1958.

Anoddach fyth fu ceisio ymdrin â cholli baban ond daeth hynny i ran nifer o'r siaradwyr. Sioc a gwacter deimlodd siaradwraig o Ben-y-sarn pan gollodd ei baban cyntaf ar ei enedigaeth. Darganfu hi ei bod yn cael dihangfa wrth ysgrifennu a bu hynny'n gatharsis iddi. Ond fel arfer doedd dim help, fel y dengys tystiolaeth gwraig o ardal Hendy-gwyn ar Daf. Am fisoedd bu'n teimlo'n 'ddiflas iawn, iawn', yn gorfforol ac yn feddyliol ond brwydrodd yn ei blaen oherwydd ei merch fach. Mewn ysbyty, yn ddau ddiwrnod oed, y bu farw baban mam o Lannerch-y-medd ac yn anystyriol iawn, gadawyd hi yn y ward famolaeth yng nghanol y mamau a'r babanod iach, ar ôl colli'r fechan. Welodd hi mo'r baban erioed. Dyna fu profiad gwraig o Lan-y-cefn hefyd oherwydd bu farw ei baban saith mis yn ei chroth a bu'n rhaid iddi ei eni'n naturiol. Gwnaeth ei thad 'focs bach teidi neis' i'r baban a chladdwyd ef yn un o feddau'r teulu. Rhyfedd felly glywed tystiolaeth bersonol bydwraig a gollodd faban ar ei enedigaeth. Chafodd hithau ddim gweld y bychan na chyngor am alaru. Y fenyw lanhau yn yr ysbyty ddwedodd wrthi fod y corff ar hambwrdd yn yr ystafell ymolchi ond roedd hi ei hun yn rhy swil i holi ymhellach. Doedd cwestiynu'r drefn ddim yn rhan o batrwm byw'r cyfnod hwn. Cafwyd un neu ddwy enghraifft hefyd o famau yn marw ar enedigaeth siaradwraig, ac mae ambell gyfeiriad at fedyddio'r baban dros arch y fam.

Cynhaliwyd yr holi ar gyfer y prosiect hwn ddechrau'r mileniwm pan oedd trafod y menopos yn fwy o dabŵ. Prin felly yw'r sylw iddo. Cyfaddefa Gwenda John, Blaen-ffos, iddi gael amser pryderus yn ei phumdegau gyda 'pethau bach yn bethau mawr' a bu'n rhaid i wraig o Grug-y-bar gymryd tabledi gwrth-iselder am ei bod yn 'torri mas i lefain' ac un tro 'wedi gafael yng nghornel y llien bord, a dymchwel y llestri i gyd', oherwydd effeithiau ysgeler y menopos.

Clinig Babanod, Tregarth, Bangor; 1955. Fe'i cynhelid unwaith y mis yn festri Eglwys y Gelli ac roedd Joan Morgan (yn dal baban yn y canol) yn gyfrifol am ddosbarthu sudd oren a fitaminau. Dr Slater, y meddyg plant, sydd yn y gôt wen ar y dde eithaf. (Llun: Casgliad Ceridwen Lloyd-Morgan)

Yng ngoleuni'r holl bwyslais ar garu, priodi a magu teulu yn y cyfnod hwn, amheuthun clywed gan fenywod a benderfynodd beidio â throedio'r llwybr confensiynol hwn. Er mai 'priodi, priodi, priodi' oedd mantra tragwyddol ei mam, gwrthododd Eirlys Thomas, Llyswyrny, gydymffurfio. Golygai priodi a chael plant roi'i gwaith yn athrawes i fyny, medd Megan Roberts, Bryneglwys, a 'merch gyrfaoedd o'n i… o'n i mor brysur… 'nes i'm teimlo'r angen i gael plant'. Ni theimlai Muriel Howells, Aberdâr, iddi gyfarfod ag unrhyw un oedd yn fwy diddorol na'i gwaith ar ôl ychydig wythnosau yn ei gwmni ac roedd ganddi lawer mwy o ddiddordeb mewn gyrfa. Unwaith eto gwelwn mor bwysig rhoi sylw i hanesyn yr unigolyn a pheidio â hawlio bod profiadau'r mwyafrif yn crisialu profiadau pawb.

CAMEO

Erinwen Mai Johnson

Cafodd **Erinwen Mai Johnson** (Gwytherin, ganed 1930) brofiadau bywyd gwahanol i'r siaradwyr eraill, er bod ei magwraeth yn ddigon confensiynol.

Ganwyd Erinwen i deulu tlodaidd ond parchus iawn. Roedd bri ar addysg a'r capel yn ei chartref ac ystyrid y byddai'n 'ta-ta arnoch chi' petaech yn rhoi eich troed mewn tafarn. Honna mai prin oedd Saesneg ei rhieni, dim ond un neu ddau air, '*lovely*' a '*make your hair*', oedd gan ei mam a mynnai ei thad, a oedd yn Bleidiwr i'r carn, na allai siarad gair o Saesneg, ond darllenai'r *Guardian* o glawr i glawr! Aeth Erinwen yn ei blaen o Ysgol Ramadeg Llanrwst i'r Coleg Normal ac astudio *Domestic Science*, cyn troi am swydd ddysgu yn Dagenham, Llundain yn 1951.

Bu hynny'n agoriad llygad iddi ac mewn Clwb Pwylaidd yno y cyfarfu â'i gŵr, Strudee*, dyn du o Jamaica, a ddaethai i Brydain ar gyfer Gemau Olympaidd 1948. Ni allai fforddio dychwelyd i'w famwlad ac arhosodd yma, gan hyfforddi yn deiliwr. Erbyn diwedd ei yrfa roedd yn gwneud dillad theatr cywrain ar gyfer y teledu. Ond roedd bywyd yn anodd i'r pâr ifanc, 'Wn i'm sut wnesh i ddal hefo fo a deud y gwir, achos fyddan ni'n mynd i gaffis a 'naen nhw ddim serfio ni, w'chi. Fyddan ni'n mynd i *hotels* a fyddan nhw'n deud "*We don't want people like this here.*"... Oedd o'n loes - oedd o YN loes, bod pobol yn cael eu trin mor sobor yn 'rhen fyd 'ma.' Ar ôl priodi bu'n rhaid prynu tŷ oherwydd gwrthodai landlordiaid rentu iddynt.

Ond bu ei rhieni'n dda wrthynt er nad oeddent wedi gweld dyn du yn eu byw cyn hynny. Dwedent eu bod yn poeni'n fawr amdani, ond ei hateb hi oedd iddi gael ei magu ganddynt hwy i gredu 'bod du a gwyn yr un fath ac na allent newid eu meddyliau nawr.' Ond ni fu gweddill ei theulu mor raslon. Er bod ganddi deulu mawr, dim ond 25 o westeion ddaeth i'w phriodas yng Ngwytherin yn 1954. Disgrifia'r daith i'r wledd briodas yn Llanrwst, 'pan oeddan ni'n mynd rŵan i'r brecwast priodas... oedd pobol yn giatia'r fferm yn wafio... O'n i... yn meddwl bod nhw wedi dod i 'ngweld i. 'Nesh i ddim dallt ma dod i weld y dyn (du) oeddan nhw.

Doeddan nhw 'rioed wedi gweld un o'r blaen.'

Dychwelodd y ddau i fyw, gweithio a magu teulu yn Llundain. Disgrifia sut y bu'n rhaid cael caniatâd ysgrifenedig ei gŵr i fynychu clinig cynllunio teulu ac, meddai'n chwareus, 'Diolch i Dduw ei fod o'n gallu ysgrifennu!' Dysgodd ei phlant i fod yn gryf ac i wybod mai hanner Cymry a hanner Jamaicans ydyn nhw. Gwyddai y byddai'n rhaid iddynt fod 'yn well nag *average* cyn y caent *average job*.'

Yn 1993 dychwelodd Erinwen a Strudee i fyw yng Ngwytherin a bu ef farw yn 2002.

* Cafwyd enw gŵr Erinwen a'i ddyddiadau o wefannau www.bbc.co.uk. ac awfullybigblogadventure.blogspot.com

Pennod 5
CREFYDDA a HAMDDENA

Er gwaethaf rhigolau beunyddiol eu byd gwaith, câi'r siaradwyr ambell gyfle i hamddena a chymdeithasu. Daw mynd i'r capel a'r llu gweithgareddau cysylltiedig ar frig y gweithgarwch hwn. Mae'n ffasiynol weithiau i ddilorni neu ddibrisio dylanwad y capel a chrefydd ar fenywod yn hanes Cymru, gan honni mai dylanwad negyddol, yn llesteirio datblygiad, cyfyngu dewisiadau a gormesu menywod ydoedd. Ond, a orfodid hwy i droedio'r 'llwybr cul'? Neu a oedd hon yn 'Oes Aur y Capeli', y bu'r profiad o fyw ynddi yn gadarnhaol ac adeiladol ym mhrofiad siaradwyr y prosiect hwn?

Tystiodd bron bob menyw a holwyd bod y capel wedi ac yn chwarae rôl ganolog yn eu bywydau. Gellid lluosogi dyfyniadau sy'n crisialu hyn. Medd Mary Wyn Jones, Pontllyfni, fod mynd i'r capel 'yn rhoi rhyw sylfaen i chi. Mae o fatha mynd i nôl dŵr i ffynnon rywsut. Os dach chi ddim yn mynd... mae 'na ryw sychdar yn rhywle, 'does?' a disgrifia gapeli llawn a'r waliau'n chwysu, gan ychwanegu'n eironig, 'Chwysith 'run walia rŵan, yn siŵr'. Dyma angor bywyd Mari Roberts, Llanfachreth, hithau, oherwydd 'Mae o yno i chi pan 'da chi'n hapus... A mae o yna hefyd pan ma gennoch chi angen cymorth ac angen eich cynnal.' Mynega ambell un ei ffydd ddiysgog, 'Ma crefydd wedi bod erioed yn bwysig i fi, mae wedi bod yn graig i fi. Dwi'm yn gw'bod sut faswn i wedi mynd trw' mywyd oni bai mod i'n credu'n ddyfn,' meddai Nansi Owen, Llanfairfechan, ac i Mair Price, Botwnnog, 'Heb Dduw, heb ddim'.

Golygai crefydda rywbeth gwahanol i bawb. Y cyfle i fyfyrio, 'eistedd i lawr a meddwl dros betha' oedd e i Eleri Evans, Garndolbenmaen, ond clywed pregeth dda a oedd 'yn well na drama dda' oedd yn apelio at Ellen Ellis, Botwnnog. Cariad at yr adeilad ei hun yn Stryd y Tywysogion, Y Rhyl oedd yn llenwi byd Blodwen Charles a chyfaddefa, 'bron iawn na faswn i'n dweud mod i'n addoli brics a mortar, oedd o'n gymaint â hynny.' I eraill, fel Gwen Owen, Llanarmon ger Chwilog, cyfle i gymdeithasu ydoedd, 'mi fyddwn i a'n ffrind yn cerdded drw' eira mawr i gyfarfod gweddi, dim ond er mwyn cael mynd allan' ac enillodd hi Fedal Gee am ei ffyddlondeb i'r Ysgol Sul yn 2000. Yn sicr, roedd y capel yn hollbresennol yn eu bywydau.

Mae Valerie James, Brynaman, yn pwysleisio hyn, 'O'n ni'n ca'l magwrfa fan'ny - eithriadol. O'n ni'n byw a bod 'na. O'n ni'n mynd 'na fel 'sen ni'n mynd gartre', ac roedd siaradwraig o Ddinorwig, hithau 'yn byw yn capal, jest'.

Yr Ysgolion Sul oedd y feithrinfa gynnar a heidiai plant ac oedolion iddynt tan y chwedegau cynnar. Erys yr atgofion amdanynt yn llachar fyw. Cofia'r Methodistiaid yn eu plith ddysgu 'Rhodd Mam', yr holwyddoreg ddylanwadol: 'Sawl math o blant sydd? Dau fath. Beth yw'r ddau fath? Plant da a phlant drwg...' ac o bersbectif heddiw, does ryfedd i Rhiannon Parri Davies, Llansannan, ebychu 'Pa werth sydd yn hynny, wn i ddim!' Y dathliadau tymhorol oedd wedi eu serio ar gof llawer, yn enwedig gorymdeithiau'r Llungwyn a thripiau'r Ysgol Sul. Disgrifia Mary Wiliam olygfa fawreddog 'troi mas' yn Nhredegar – pob Ysgol Sul â'i baner ei hun yn datgan '*Feed my Lambs*' neu 'Portha fy Ŵyn'. Ym mis Gorffennaf y gorymdeithiai ei chapel hi, dan ganu 'Marchog Iesu yn llwyddiannus' a cherdded y strydoedd i ymweld â thai aelodau gorweiddiog. Sasiwn y Plant a gofiai Ann Shilvock ym Mhwllheli, pan ddeuai holl Ysgolion Sul Llŷn ac Eifionydd i orymdeithio, cyn ymuno am ginio mewn caffi yn y dref. Y bwyd ddaw i gof Mattie Reece, Yr Alltwen, hithau: y bara menyn gwyn a brown, a'r teisennod plaen, hadau a ffrwythau yn festri Dan-y-graig adeg y parti

Gorymdaith Flynyddol Ysgolion Sul Rhydaman a'r Cylch, y Sulgwyn yn 1953. Dyma gyfle i arddangos dillad, esgidiau a hetiau newydd. (*Llun: Merched y Wawr*)

Llungwyn yn y tridegau ac yna allan â nhw yn eu ffrogiau newydd a'u *gymshoes* i'r twmpath i chwarae *Kiss in the Ring*! Dywed Eurwen Bowen fod 'aelodaeth yr Ysgol Sul yn cynyddu'n rhyfedd cyn y parti!'

Uchafbwynt y flwyddyn oedd trip yr Ysgol Sul, diwrnod lledrithiol i'r siaradwyr oll. Sonia Dilys Roberts am ramant teithio i'r Rhyl, 'i ben draw'r byd... yn bellach na Bangor' o Lannerch-y-medd. Mewn siarabáng, gyda drws ar gyfer pob sêt, y teithient yno o Bontuchel yn y dauddegau ond mae Dinah Roberts, Eglwys-bach, yn cofio bod gan y Bedyddwyr a'r Methodistiaid eu *coaches* eu hunain a phawb wrth eu boddau pan fyddai un *coach* yn goddiweddyd y llall. Y peth diwethaf a wnaent ar ôl diwrnod yn chwarae ar y tywod â'r menywod yn sgwrsio yn eu dillad gorau ar y traeth, fyddai gwario'r ddimai olaf yn y *Marine Lake.* Y Barri, Porthcawl, Dinbych-y-pysgod a'r Mwmbwls oedd hoff gyrchfannau Ysgolion Sul y de. Cofia Mattie Reece mai padlo a wnâi'r plant nid 'oefad', gan na allent fforddio gwisgoedd nofio. Cafodd tripiau i'r traethau eu gwahardd adeg y Rhyfel, gan fod weiren bigog ar hyd-ddynt i warchod y wlad rhag y gelyn.

Cangen o'r Ysgol Sul oedd y Gobeithlu neu'r *Band of Hope*, a gynhelid yn festri'r capel. Atgofion am gyfarfodydd hwyliog a difyr sydd ganddynt, lle byddent yn dysgu adnodau, ymarfer sol-ffa a chanu emynau. Yn Rhosllannerchrugog arferai'r plant fynd i gyfarfodydd ei gilydd yn y pedwardegau hwyr, tystia Diana Roberts, a chofia weld Lewis Valentine,

Ysgol Sul Capel Nazareth, Pont-iets; tua 1954. Roedd mynychu'r Ysgol Sul yn ganolog i fywydau cynifer o'r siaradwyr. Gwasanaethodd llawer ohonynt yn athrawon Ysgol Sul am flynyddoedd maith. Roedd sawl un wedi ennill Medal Gee am ffyddlondeb i'r Ysgol Sul. (*Llun: Casgliad Ruth Morgan*)

y gweinidog, 'â'i lygaid yn pefrio wrth gael hwyl efo'r plant.' Amcan gwreiddiol y gymdeithas oedd addysgu'r plant am ddirwest. Dysgent ganu'r emyn dirwest, 'Dŵr, dŵr, dŵr...' ac ar ddechrau cyfarfod, adrodd y llw:

> Yr wyf yn addo trwy gymorth dwyfol ymgadw rhag pob math o ddiodydd meddwol, arfer iaith bur, ymdrechu i fod yn onest, glân a charedig a gwneud yr hyn sydd yn fy ngallu er hyrwyddo sobrwydd, purdeb a phob daioni,

fel y'i dyfynnir gan Olwen Lewis, Tal-y-bont, Dyffryn Ardudwy. Cyfaddefa iddi dorri bron bob un o'r addunedau hyn!

Ymddengys fod ymlyniad at ddirwest yn bwysig i'r siaradwyr. Treiddia rhyw barchedig ofn o dafarnau a diod feddwol trwy'r cyfweliadau. Feiddien nhw ddim mynd i dafarn, 'O, bobol mawr, na fyddan. Iechyd annwyl... Argian fawr na fyddan adeg honno! Dim o gwbwl', medd Ellen Ellis, Botwnnog, yn bendant. Cysylltid yr arfer â merched 'comon'. Pan fentrodd Mair Williams a'i ffrind fynd gyda'u gwŷr i dafarn yn Abertawe adeg y Rhyfel, taflwyd hwy allan â'r cerydd, '*Out! We don't serve women here. This is not a house of ill repute*!' Eto, adroddir ambell stori am ragrith y llwyrymwrthod hwn. Cadwai teulu Beryl Davies dafarn yng Nghydweli a chofia weld menywod yn yfed yn y seler a chael rhybudd gan ei mam i beidio â datgelu'r gyfrinach. Cuddio'r stên dan eu sgerti wnâi rhai menywod yn Llandeilo, medd Mary Roberts, a dadleuai eraill mai defnydd meddyginiaethol oedd i'r wisgi neu'r brandi o'r dafarn.

Dylanwad y Rhyfel newidiodd yr agweddau hyn. Er bod sawl siaradwraig yn bendant nad oeddent wedi bod, nac yn bwriadu mynd, i dafarn fyth, cyfaddefa eraill iddynt fentro yno gyda'u gwŷr yn y pum- a'r chwedegau. Tad Nans Davies, sef ap Hefin, Aberdâr, oedd awdur yr emyn dirwest poblogaidd 'I bob un sy'n ffyddlon' ac roedd hithau'n ddirwestwraig bybyr tan iddi gael ei hudo un Nadolig i brynu *port wine*. Aeth ag ef adref a'i guddio ym mhen pella'r pantri, ond doedd ganddi 'ddim digon o gyts' i'w agor. Yna, ddydd Gŵyl San Steffan, rhannodd beth i'w thad a'i berswadio i'w flasu. Yfodd ef, meddai, fel petai'n yfed gwin cymun. Dichon fod dechrau cymdeithasu mewn tafarnau, fel y gwnâi dynion gydol y cyfnod dan sylw, yn arwydd arall fod yr hualau a gyfyngai ar ryddid menywod yn graddol chwalu erbyn y chwedegau.

Cymysg oedd yr ymateb pan holid am bwysigrwydd enwadaeth. Gallai sawl un adrodd y rhigymau poblogaidd:

'Annibynwyr annibendod, Mynd i'r capel heb un adnod.'

'Methodistiaid creulon cas, Mynd i'r capel heb ddim gras, Codi seti i bobl fawr, Gadael tlodion ar y llawr.'

'Bedyddwyr y dŵr, yn meddwl yn siŵr, Chaiff neb fynd i'r nefoedd ond Bedyddwyr y dŵr.'

'Eglwys, eglwys, penne sofft, Bildo eglwys heb ddim lofft... '

'Roedd enwad yn bwysig iawn, iawn,' meddai un Weslead o Fangor, a sonia Nancy Howell, Blaen-ffos, am reolau llym y Bedyddwyr ynglŷn â chymuno gydag enwadau eraill. Gwnaeth y profiad o gael ei bedyddio yn afon Cleddau ger Capel Rhydwilym, tua 1930, argraff fawr ar Ann John. Cafodd het a ffrog newydd ar gyfer yr achlysur. Hi aeth i'r dŵr gyntaf o'r deg merch i'w bedyddio. Cydiodd y gweinidog yn y llinyn am ei chanol ac yn ei gwegil a'i throchi dros ei phen. Yna, draw i'r festri i sychu ac i'r capel am arddodiad dwylo gan ddiaconiaid y Sêt Fawr. Disgrifia Afonia Evans, Tre-saith, sut y câi Methodistiaid eu croesholi ar lyfryn *Yr Hyfforddwr* cyn dod yn gyflawn aelodau ac am y llu arholiadau sirol. Eto, hyd yn oed o fewn enwad roedd gwahaniaeth rhwng capel a chapel. Yn Llangefni, medd Morfudd Lloyd Jones, roedd dau gapel gan y Methodistiaid Calfinaidd: capel crand Moreia, a chapel Lôn y Felin. I Foreia yr âi ei theulu hi ond daeth i ddeall mai 'capel y crach' ydoedd ac mai 'pobl oedd yn methu fforddio dillad crand' oedd mynychwyr Lôn y Felin. Er cymaint yr ymlyniad at grefydd a chapel a'r gwerthfawrogiad o'r gwerthoedd a ddysgid ganddynt, gwelai rhai elfennau o ragrith hefyd, a chofiwn sylw dadlennol Olive Campden, Dre-fach Felindre, 'O'dd bob capel yn gas i'w gilydd, mewn ffordd fach neis.'

At yr eglwyswyr y cyfeirid y feirniadaeth halltaf. Taflai Rhyfel y Degwm, ddiwedd y bedwaredd ganrif ar bymtheg, ei gysgod ar ambell ardal o hyd. Disgrifia siaradwraig o Lanuwchllyn agwedd ei theulu hi, 'O'dd 'y nhad yn hollol anfaddeugar i'r eglwys. O'dd o'n cofio'r degwm, 'doedd?' Ac i eraill, mynychu ysgolion eglwys gyda'u catecism a'u Seisnigrwydd oedd wedi bwydo'r digofaint. Er mai prin oedd yr eglwyswyr ymhlith y siaradwyr, roedd eu hymlyniad hwythau i'w henwad yr un mor driw. Disgrifia Laura Jones fynychu eglwys Llanfihangel Glyn Myfyr dair gwaith y Sul ac amrywiai'r iaith bob yn ail Sul. Cytuna'r siaradwyr fod 'y gwŷr mawr' yn tueddu i fod yn eglwyswyr a'u bod yn dylanwadu ar iaith gwasanaethau, ond eto roedd pob siaradwraig yn y Gymru wledig yn gallu mynychu gwasanaeth rheolaidd yn y Gymraeg. Cofiant bwysigrwydd Cymanfa'r Llungwyn a Chymanfa Hen Galan yn ardal Llandysul, pan ddeuai 13 eglwys ynghyd i'w croesholi ar y Pwnc gan ficer o blwyf arall a gorffen gydag anthem. Cytunir nad oedd cymaint o weithgareddau gan yr eglwysi yn ystod yr wythnos, er bod Undeb y Mamau a'r *Girls' Friendly Society,* yn denu rhai. Yn fynych, gwraig y ficer fyddai'n arwain y rhain ac ystyrid ei bod o statws uwch na'i phlwyfolion. Yn ôl Doreen Davies, Pont-iets / Pontantwn, roedd gwraig y ficer 'yn rial ledi, swanc, (yn) gwisgo menig gwyn' ac roedd ganddi *chauffeur* a morwyn mewn ffedog a chap les, – oedd, roedd 'morwyn y ficrej yn *substantial*' hefyd. Eto, rhaid gochel rhag gorliwio gwahaniaethau, oherwydd byddai capelwyr yn mynychu'r eglwys weithiau, yn enwedig ar Ddydd Llun Diolchgarwch ac eglwyswyr yn ymuno ag oedfaon y capel yn eu tro.

Wrth holi pwy oedd y bobl uchaf eu parch mewn cymdeithas, deuai'r ficer, yr ysgolfeistr a'r gweinidog i'r brig, ac yn eu cysgod, eu gwragedd. Perthynai statws arbennig i wraig gweinidog, ac roedd tuedd i'w 'gosod mewn mowld', chwedl Nan Lewis, Cefneithin:

> Roedd 'na brotocol pendant... roedd 'na ddisgwyliadau bo chi'n wahanol. Ac o'n i'n ffindio hi'n anodd iawn bo fi wedi mynd o fod yn 'Nan' i bawb i 'Mrs Lewis'. A bues i'n Mrs Lewis am... ddeng mlynedd ar hugen.

Rhaid oedd derbyn y drefn, oherwydd fel y profodd Deilwen Jones, Blaenau Ffestiniog, roedd 'bywyd gweinidog a'i wraig fel llyfr agored'. Dyna brofiad Mair Lloyd Davies, Porthmadog, hithau, 'Ro'n i wedi fy magu mewn eglwys lle'r oedd gwraig y gweinidog yn wraig y gweinidog - yn gneud dim byd arall 'mond cynnal breichia'i gŵr'. Byddai Eiluned Jenkins, Blaendulais, wedi cytuno, oherwydd disgwylid iddi hi gymryd gwasanaethau gyda'r gwragedd, rhedeg clwb gwnïo i'r gwragedd ifanc a chynnal ffeiriau Nadolig i werthu'r cynnyrch. Arweiniodd statws o'r fath Olwen Griffiths, Llanfair Caereinion, i ddal nifer o swyddi allweddol gyda'r Wesleaid, yn eu plith - organyddes, ysgrifenyddes a Llywydd y Chwiorydd, ysgrifennydd dros Gymru i'r Chwiorydd a'r Genhadaeth a Llywydd dros Gymru Dydd Gweddi Chwiorydd y Byd. Gallai sawl gwraig gweinidog arall dystio iddi hithau gyflawni gwaith gwirfoddol diarbed o'r fath.

Olwen Griffiths sy'n dweud bod 'Y Sul rywsut yn rhoi trefn ar eich wythnos chi' ac mae clywed am yr holl weithgareddau oedd yn waharddedig

Chwiorydd Capel yr Annibynwyr Nazareth, Pont-iets; tua 1954. Dim ond yn y chwedegau y dechreuodd chwiorydd ffyddlon o'r fath gael eu derbyn yn swyddogion yn y capeli. (*Llun: Casgliad Ruth Morgan*)

ar y Sul yn codi gwên heddiw. Dechreuai'r paratoadau ar y Sadwrn gyda golchi'r pasej, sychu carreg yr aelwyd, brwsio'r clos, cario dŵr i'r tŷ, glanhau esgidiau, crafu tatws a llysiau a choginio'r cig ar gyfer cinio dydd Sul. Roedd y cinio yn bryd amheuthun - yr unig dro y ceid cig rhost ar y fwydlen mewn wythnos, a'r pwdin reis yn ffefryn gan bawb, fel yr oedd yr atgofion am y te, yn jeli, *blancmange*, bara menyn, bara jam, cacen gyraints a chacen gwstard, yn ôl disgrifiad Euron Owen, Penmaenmawr. Ar fferm, dim ond bwydo'r anifeiliaid a godro a ganiateid, ac yn y cartref doedd wiw gwau, gwnïo, smwddio, rhoi dillad ar y lein, defnyddio siswrn na chwibanu. Câi merched chwarae doliau petaent yn chwarae Ysgol Sul a'r unig ddeunydd darllen cymeradwy oedd y *Beibl* neu *Drysorfa'r Plant*, a oedd yn llawn marwnadau plant. Ofnai mam Dilys Clement, Craig-cefn-parc 'dorri cabetsien' yn yr ardd 'acha dydd Sul' a phan fentrodd brawd Ann Jones, Tre'r-ddôl, chwarae pêl, taflodd ei fam hi i'r tân. Yn wir, fel y dywed Mari Jones, Pontypridd, 'dim ond ista a darllan a newid dillad bob munud' a wnaent. Treiddiodd y ddisgyblaeth hon yn ddwfn i seice'r Cymry ac, er bod tuedd wrth recordio i wfftio'r hen goelion hyn, cydnabu Margaret Lloyd, Oerffrwd, Clatter, ei bod 'yn dal i deimlo, os 'dw i'n cydio mewn nodwydd ar y Sul, 'mod i'n pechu'n ofnadwy.'

Rhoed parch mawr i 'ddillad capal', a rhaid oedd eu newid rhwng pob oedfa. Teimlai sawl un fod gormod o bwyslais ar wisgo'n grand. Dywed Ray Samson, Tre-lech, na allai hi fynychu capel nac eglwys am nad oedd ganddi ddillad cymeradwy. Elfen anhepgor o'r wisg oedd yr het. 'Fysa chi ddim yn meiddio mynd i capal heb ddim het,' meddai Mair Price, Botwnnog, a byddai hetiau'n difyrru'r bobl ifanc yn fawr, yn ôl Beryl Roberts, Trefor, 'Dwi'n cofio, sbio ar wahanol hetia fyddan ni... O'dd hi fel *fashion parade* ar Ddiolchgarwch.' Parhaodd gwisgo *costume*, menig a het i gapel ac eglwys yn ddefod tan y chwedegau cynnar ac ni ddaeth gwisgo trowsus yn gymeradwy o gwbl am ddegawdau wedyn.

'Capal, capal, capal', chwedl Dilys Thomas, Tal-y-bont, Bangor, oedd cwmpas bywydau nifer fawr o'r siaradwyr, gyda'u horiau hamdden gydol yr wythnos yn cylchdroi o'i gwmpas. Er bod union drefn a natur y cyfarfodydd yn gwahaniaethu o gapel i gapel byddai patrwm Capel Bwlan, Llandwrog, wedi bod yn gyfarwydd i lawer, sef: nos Lun – Y Gobeithlu (*Band of Hope*), nos Fawrth – cymdeithas yr ieuenctid, nos Fercher – seiat, nos Iau – y gymdeithas lenyddol, nos Wener – dosbarth ar gyfer 'merched mewn oed' ac wrth gwrs, tri chyfarfod ac ambell ysgol gân a dosbarth sol-ffa ychwanegol ar y Sul. 'O ran diwylliant' felly, fel y tystia Brenda Wyn Jones, Bethesda, 'o'dd hi'n fagwraeth gyfoethog iawn.' Câi'r diwylliant hwn ei drawsblannu i'w cynefin newydd gan Gymry oddi cartref. Penllanw'r wythnos i Gwyneth Jones, Llangwnnadl, pan oedd yn hyfforddi'n athrawes yn Lerpwl, oedd mynychu Cymdeithas Gymraeg capel Heathfield Road yn Lerpwl a phan symudodd i weithio yn Birmingham, rhaid oedd ymaelodi â chapel Cymraeg Suffolk Street a 'byw y bywyd Cymraeg yn y ddinas fawr honno, hefyd.'

Dechreuai'r trwytho addysgol yn gynnar. Yn blant, dysgent wrando ar bregethau i gofnodi'r 'pennau', dysgent adnodau a salmau ar eu cof (Salm hir 119 gyda'i 176 adnod yn achos Sali Jones, Maen Gwynedd). Dyma ddechrau cymryd rhan, ac weithiau, gweddïo'n gyhoeddus. Bonws arbennig oedd 'clywed yr iaith Gymraeg ar ei gorau', fel y tystia siaradwraig o Lannor. Yn sicr, 'dyna o'dd 'n hadloniant ni. O'dd o'n addysgiadol, ond doeddan ni'm yn sylweddoli hynny ar y pryd,' meddai Dilys Thomas eto. Er mai ychydig o addysg ffurfiol a gawsai sawl siaradwraig, roeddent yn hynod hyddysg yn eu Beibl ac wedi llwyddo'n anrhydeddus mewn llu o arholiadau ysgrythurol. Cofia Margaret Jones, Llanrhystud, lenwi deg papur A4 o atebion ac ennill pedair o fedalau Ysgol Sul, ac yn ei phrofiad hi, 'dych chi byth yn anghofio'r gwaith hynna.'

Chwaraeai cerddoriaeth ran ganolog yn yr addysg adloniannol hon. Cofia Gwladwen Jones gorau mawrion yng Nghapel Ebenezer, Tylorstown, y capel dan ei sang a'r menywod, llawer ohonynt yn perthyn i'r genhedlaeth gyntaf o ymfudwyr o Geredigion a sir Gaerfyrddin i'r cymoedd glofaol, mewn blowsys gwynion a sgerti duon yn morio canu. Clywed côr mawr y capel yn canu oratorios fel Judas Macabeus, Y Meseia, Y *Crucifixion* a'r *Creation,* ddaw i gof Rhydwen James, Yr Alltwen, a chantorion byd-enwog fel Joan Hammond a Jennifer Vyvyan, yn eu gwisgoedd hardd yn mesmereiddio'r cynulleidfaoedd. Bu sawl siaradwraig, fel Gwenda Lloyd Jones, Nantcol, yn meithrin eu talent gerddorol trwy ganu'r organ neu'r piano yn y festri ar gyfer y Band of Hope, cyn mentro i'r capel i ganu'r organ bib. Mae lle a statws y piano a phwysigrwydd gwersi piano, ym mywydau cymaint o'r siaradwyr, a hynny'n fynych mewn cartrefi digon tlodaidd, yn nodwedd arall drawiadol o'r hanes hwn.

Roedd cymanfaoedd canu yn hynod boblogaidd. Ceid brwdfrydedd aruthrol, meddai Ann Jones, Tre'r-ddôl, yng nghymanfa Machynlleth, gyda'r to bron â chodi a theimlad 'bo chi wedi cael eich cynhyrfu' ynddi. Roedd yn rhaid cario ffyrymau i'r eiliau ac eisteddai'r plant ar risiau'r pulpud, yng Nghymanfa Llun y Pasg, capel enfawr Ebenezer, Trecynon, yn ôl disgrifiad Beti Lloyd, Llwydcoed. Gellid lluosogi enghreifftiau o bwysigrwydd y gymanfa ganu yn y calendr crefyddol, ond rhaid cyfaddef hefyd bod gwisgo dillad newydd ac arddangos het grand yn atyniad deniadol, ychwanegol.

'A wnaiff y gwragedd aros ar ôl'... i wneud y te a dyletswyddau benywaidd eraill, oedd un o fantrâu capeli ac eglwysi'r cyfnod. Er bod ambell fenyw, dan ddylanwad Diwygiad 1904, yn gweddïo'n gyhoeddus mewn seiat, prin iawn oedd y rhai a gymerai ran yn gyhoeddus, a ddaliai swydd neu a gâi fynediad i'r Sêt Fawr, heblaw sôn am y pulpud. Eithriadau i ryfeddu atynt oedd yr efengylesau neu'r cenhadon a fentrai herio'r drefn haearnaidd hon. Hyd yn oed pan fyddai mudiad fel y Symudiad Ymosodol yn hyrwyddo gwaith 'chwiorydd' yn pregethu ac agor capeli mewn ardaloedd diwydiannol newydd, fel y gwelodd Janet Lloyd yn ardal Llwynhendy, gweithio dan awdurdod gweinidog a wnaent. Roedd rhagfarn yn rhemp a dynion (anaddas, droeon, medd Rhiannon Parri Davies) yn cael blaenoriaeth dros fenywod i fod yn ddiaconiaid neu'n flaenoriaid. Yn boenus o araf y daethpwyd i dderbyn menyw mewn swydd fel ysgrifennydd neu arolygwraig Ysgol Sul, hyd yn oed. Disgrifia Sylvia Rees, Lôn-las, sut y gwisgai hi siwt ddu a blows wen i arwain y gân o'r Sêt Fawr 'er mwyn toddi i mewn gyda'r dynion.' Pan etholwyd Einwen Jones, Glyn Ceiriog yn ysgrifennydd yr Ysgol Sul ddechrau'r pedwardegau, cyhoeddwyd, 'Mae rhywbeth wedi digwydd yn Seion 'ma heddiw. Mae 'na ferch wedi'i dewis yn ysgrifennydd', gan mor ddieithr y sefyllfa! Ers y dyddiau arloesol hynny bu Einwen yn dal llu o swyddi dylanwadol gydag enwad y Bedyddwyr, yn eu plith Llywydd Undeb Bedyddwyr Cymru – y fenyw gyntaf yn y swydd.

Awgryma ambell siaradwraig na ddylai menywod ddal swyddi cyhoeddus o'r fath. Eto, erbyn cyfnod recordio'r cyfweliadau yn 2000-2002, roedd newid mawr wedi bod, wrth i niferoedd aelodau brinhau. Fel y tystia siaradwraig o Fryn-teg, Môn, 'Mae 'di mynd rŵan, os na wneith y merched, toes 'na ddim byd yn cael 'i neud, achos toes 'na'm dynion yma i neud y gwaith.' Yn fwy diweddar, bu rhai o selogion pennaf Merched y Wawr, fel Sylwen Lloyd Davies, y Llywydd Anrhydeddus a Mair Penri Jones, Cyn-lywydd Cenedlaethol, yn bregethwyr lleyg adnabyddus, eraill yn weinidogion ac eraill yn dal swyddi allweddol gyda'u henwadau. Bu llwybr y fenyw i'w derbyn gan yr Eglwys yng Nghymru yn fwy dyrys, er na chafwyd tystiolaeth o hynny gan y siaradwyr.

Gwasanaethai rhai menywod trwy letya a bwydo gweinidog ar ymweliad dros y Sul, yn fynych am fis ar y tro. Byddai'n rhaid defnyddio'r llestri tsieni gorau a lliain gwyn wedi ei startsio ar gyfer hyn. Gellid ystyried hyn yn faich ychwanegol ar y wraig tŷ gydwybodol, ond nid felly y dehonglai Gret Evans, a fu'n cadw tŷ capel Garndolbenmaen

Glanhau Capel Methodistiaid Calfinaidd Gnome Place, Port Talbot; tua 1950. Gwaith menywod oedd glanhau ond nid ystyrient hyn yn faich. Yn eu plith mae Olivia Preece (llawr, blaen), Gwennie Roberts (ar y dde iddi), Minnie Aitken (gyda'r brws) a Margaret Griffiths (tu ôl i Olivia Preece). Bu'r rhain fyw i'w nawdegau neu dros gant. Rhaid bod glanhau'r capel yn waith iachus iawn! (Llun: Casgliad Gwen Jones, Llanybydder)

o 1957 i 1972, ei chyfrifoldebau hi. Talai pob teulu am fis y flwyddyn i gynnal y pregethwyr ac ymestynnai ei dyletswyddau i lenwi gwresogyddion y capel a'i gadw'n lân. Teimlai fod y gwaith yn gysegredig. ''Da ni'n llnau ein tai ein hunain yn lân, ond o'dd o'n bwysicach llnau ei dŷ O, doedd?' gofynna.

Er mor gryf oedd dylanwad crefydda ar y mwyafrif helaeth, nid oedd pob siaradwraig yn grefyddol. Dilyn ôl traed ei thad, a oedd yn anghrediniwr, ac nid ei mam a oedd yn gapelwraig, wnaeth Mair Williams, Llanelli, ac mae Edith Parry, Cricieth, er ei bod yn cydymffurfio'n allanol o ran parch i'r traddodiad, yn egluro ei safbwynt yn groyw, 'Dwi'n un o'r bobol yma sy'n meddwl ein bod ni fel blodeuyn – 'da ni'n blodeuo a 'da ni'n bwrw'n hadau a 'da ni'n gwywo. Er fy mod i wedi fy magu yn y traddodiad... dyna'r canlyniad dwi 'di ddod iddo fo.' Yr Ail Ryfel Byd liwiodd farn Dr Eirwen Gwynn. Deuai o deulu crefyddol gyda John Elias yn un o'i chyndeidiau, ond dieithriodd yn ystod y Rhyfel am fod rhai gweinidogion yn recriwtio o'r pulpud. Mae Zonia Bowen, un o sylfaenwyr Merched y Wawr, wedi trafod ei hymlyniad hi at ddyneiddiaeth a bod yn 'rhydd-feddylwraig' yn ei chyfrolau *Traed ar y Ddaear* (CAA 1995) a *Dy bobl di fydd fy mhobl i* (Y Lolfa, 2015). Gwyddys i hynny ddatblygu'n bwnc llosg a arweiniodd yn y pen draw at ei hymddiswyddiad o'r mudiad, ond nid yw'n ymhelaethu ar hyn yng nghyfweliad y prosiect hwn. Ymddengys i'r cymal yng nghyfansoddiad Merched y Wawr, sef ei fod yn fudiad 'anenwadol yn grefyddol' gael ei gamddehongli yn y saithdegau gan arwain at anghydfod anffodus. Yn gam neu'n gymwys, nid di-grefydd a roddwyd yn y cyfansoddiad ond anenwadol ac mae byd o wahaniaeth rhwng y ddau air.

Yn sicr, roedd pob siaradwraig yn ymwybodol iawn o'r dirywiad enbyd ym myd crefydda erbyn 2000. Gallent restru capeli oedd wedi cau, a disgrifio'r ing a ddeuai yn sgil hynny. Dim ond newydd gau yr oedd y capel a fynychai Beryl Jones yn ardal Llangrannog ond cafodd hi'r 'fraint' o gario'r Beibl allan ohono ar ddiwedd yr oedfa olaf. Ond ceir beirniadaeth hefyd. Credai Betty Jones, Lerpwl, bod capeli wedi achosi eu dirywiad eu hunain, oherwydd 'O'dd 'na gulni mawr mewn capelydd adeg oeddan ni - oedd 'na dorri allan o gapelydd... a dwi'n meddwl bod y rheini wedi gwneud llawar iawn o ddrwg', a thrafodir hyn ymhellach mewn pennod arall. Awgryma Nan Lewis, Cefneithin, bod gormod o sentimentaliaeth ynglŷn â'r 'Oes Aur' gynt wedi llesteirio datblygiadau a bod crefyddwyr 'yn methu byw yn y presennol'.

Er bod gweithgareddau'r capeli'n dominyddu oriau hamdden y mwyafrif, roedd agweddau eraill i'w hamddena hefyd. Gellir olrhain newidiadau ar draws y cyfnod yn y llyfrau a'r cylchgronau a ddarllenid. Sonia'r menywod hŷn am gylchgronau enwadol, megis *Y Drysorfa, Yr Eurgrawn* a'r *Gwyliedydd,* a darllen y Beibl a'r llyfr emynau. Tystia Joyce Phillips, Ffynnon-groes, ei bod 'yn llwm iawn o safbwynt llyfrau darllen (Cymraeg)', pan oedd yn blentyn, ac fel sawl siaradwraig arall mae'n diolch am rifynnau cyson, darllenadwy *Cymru'r Plant.* Gwnaeth dyfodiad y blwyddlyfr Cymraeg cyntaf, *Llyfr Mawr y Plant,* gan Jennie Thomas a J O Williams yn 1931 argraff ddofn, ac ymhlith ffefrynnau eraill roedd *Teulu Bach Nantoer* gan Moelona, 'a chrio dros hanes Eiry fach', chwedl Beryl Rogers, Tregeiriog, a nofelau E Tegla Davies, *Hunangofiant Tomi* a *Nedw.* Ond fwyfwy, gan y genhedlaeth iau sonnir am ddylanwad *comics* Saesneg fel *Rainbow, Beano, Dandy* ac i ferched *Girls' Own* a *Girls' Friend* a llyfrau tra phoblogaidd y doreithiog Enid Blyton. Ceir ambell gyfeiriad at ddarllen nofelau hanesyddol Elizabeth Watkin-Jones a nofelau antur Meuryn. Mae rhywun yn synhwyro bod y merched hyn yn sychedu am lyfrau Cymraeg difyr, fel y dywed awdur o ardal Caernarfon, 'Oeddan nhw'n gw'bod os bydda hi'n ben-blwydd neu'n Ddolig fyddwn i'n hapus efo llyfr - do'n i'm isho dim byd arall.'

Fel y gellid disgwyl, roedd chwarae gemau bwrdd fel *ludo,* dominos, draffts a chardiau o gwmpas bwrdd y gegin gyda'r nosau yn boblogaidd ac yng nghartref Eirwen Jones, Tan-y-fron, Dinbych, eu hadloniant oedd cystadlu i adrodd enwau llyfrau'r Hen Destament o'u cof. Posau gwahanol a âi â bryd Mary Morgan, Glyn-nedd (Llanrhystud), ac edrydd nifer fawr ohonynt, yn eu plith:

'Beth sy draw, draw yn ca' pys / Dwy droed a deugain bys'
(Ateb: merch yn hela pys)

'Fe anwyd baban yn Llan-gam / Nid mab i ddyn nid mab ei fam /
Nid mab i Dduw nid mab i ddyn / Ond plentyn prydferth fel pob un'
(Ateb: merch).

Roedd gwrando ar y weiarles yn rhan bwysig o hamddena'r cyfnod. Disgrifir setiau crisial a chlustffonau cartrefi'r dauddegau; ond fwyfwy yn y tridegau ac yn ystod yr Ail Ryfel Byd sonnir am fynd â batri'r weiarles i'w wefru'n rheolaidd i garej leol, fel y cofia Nansi Pugh Owen yn Nhywyn. Doedd wiw i unrhyw un siarad tra bod y radio ymlaen. Adeg y Rhyfel, fel y dywed Beti Lloyd, Llangrannog, chwaraeodd y radio ran allweddol trwy 'ddod â'r byd i mewn i'r tŷ'. Cofia sawl un glywed cyhoeddiad iasol Neville Chamberlain fod Prydain wedi ymuno â'r Rhyfel ar Fedi 3, 1939, ac ymdopi â chodi bwganod darllediadau *Lord Haw Haw*. Ond daw atgofion melys hefyd o fwynhau *Noson Lawen* o Fangor, a'r cyfresi poblogaidd *Teulu'r Mans* a *Teulu Tŷ Coch*. Y ffefryn mawr, er hynny, yn y pumdegau oedd *S.O.S. Galw Gari Tryfan* ac yn Saesneg cyfeirir at *Workers' Playtime, Mrs Dale's Diary* a *Dick Barton – Special Agent*. Gallai siaradwyr gofio'n glir pryd y gwelsant deledu am y tro cyntaf – llawer ohonynt adeg y Coroni, 1953. Tyrru i dai cymdogion oedd y drefn gan nad oedd perchen teledu yn gyffredin tan y chwedegau. Mae sylwadau Beti Williams, Llanfwrog, yn darlunio cyfaredd y cyfrwng newydd hwn, 'Dwi'n cofio gwatsiad *Coronation* (*Street*) am y tro cynta, ag o'n i 'di gwirioni 'mhen. O'dd Ken yn ddyn ifanc ac wrthi'n paentio'r ffenast... Dwi'n cofio cymryd ato fo o'r cychwyn.' Cyfrwng arall y cyfeirir ato oedd y gramoffon â'r recordiau finyl a mwynhau lleisiau David Lloyd a Leila Megane, a chaneuon ysgafnach George Formby a *The Laughing Policeman*.

Y tu allan i'r cartref roedd y pictiwrs, chwedl Mary Beynon Davies, Pwllheli 'yn rhoi lliw yn eich bywyd chi', a'r sinemâu yn llawn i lafoerio dros sêr y sgrin: Greta Garbo, Shirley Temple, Gracie Fields, a Clarke Gable yn y ffefryn oesol *Gone with the Wind*. Bu Nesta Evans, Manod, yn perthyn i *fanclub* Patricia Roc ac anfonodd i Galiffornia am lun o'i heilun, Nelson Eddy. Roedd mynd i'r Odeon yn Llanelli yn ddihangfa bur i Marion Davies, Y Tymbl, gan fod 'popeth mor foethus, melfed a goleuadau a wedyn gweld y tai anferth yn Hollywood, a'r celfi a'r dillad... (a bod) haul o hyd'. Rhan bwysig o ymweld â'r sinema oedd cael sglodion a *Vimto*, cyn dal bws i fod adre erbyn deg. Sonnir llawer am bwysigrwydd dal bysys, cwmnïau *Crosville* a *Western Welsh*, er enghraifft, yn y cyfnod hwn a byddai olrhain dylanwad bysys ar fywydau cymdeithasol a chylch gwaith menywod yn bwnc diddorol ynddo'i hun. Yr opsiwn arall poblogaidd oedd teithio ar feic a disgrifia Kitty Williams, Dihewyd, sut y byddai merched ifanc y fro yn crwydro gyrfâu chwist arnynt. Ychydig yn wahanol oedd teithio ar feic modur fel y gwnâi Ann Rees, Troed-y-rhiw. Roedd yn aelod o'r *Motor Cycling Club* ac arferai deithio'r wlad gyda chriw o feicwyr eraill.

Ni holwyd llawer am ddylanwad chwaraeon ar fywydau'r menywod. Yn hyn o beth, byddai cyfweliadau gyda dynion o'r un genhedlaeth wedi bod yn dra gwahanol, mae'n debyg. Eto, tystia Elinor Jones bod yn well

Dau ddull cludiant a oedd yn dod yn fwyfwy poblogaidd ymysg dynion yn bennaf yn eu cyfnod. Yma gwelwn Margaret Lewis, Blaenplwyf Isaf, Pen-y-groes, Arfon, ar gefn beic modur yn yr 1920au. (Llun: Casgliad Delyth Fletcher)

A Mary Lewis, ei chwaer yn gyrru car ganol yr 1930au. Cawsai drwydded i yrru car cyn Ebrill 1934 pan gyflwynwyd prawf gyrru am y tro cyntaf. (Llun: Casgliad Delyth Fletcher)

ganddi hi wylio tîm pêl-droed lleol Blaenau Ffestiniog yn herio mawrion Bangor a Chaernarfon na mynd i'r pictiwrs, a chofia'n dda sut y bu'n crio'n hidl pan laddwyd ei harwyr ym Manchester United yn namwain awyren erchyll Chwefror 1958. Yn groes i'r drefn, perthynai Jenny Ford, Pencader, i dîm pêl-droed merched saith-bob-ochr yn y pumdegau. Dilynai siaradwraig o Lwynhendy dîm rygbi'r *Scarlets* a chofia Gwen Jones, Bryn, Port Talbot, y ddefod deuluol o gefnogi Aberafan yn chwarae rygbi ddydd Nadolig ac yna dod adref am *sing-song*, gan orffen gyda'r anthem 'Dyn a aned o wraig.'

Pedair ffrind ar y traeth yn Aberystwyth; tua 1920; yn y blaen mae Sarah Anne Davies o Pwll, Llanelli. (Llun: Casgliad Anne Richards/ Archif Menywod Cymru)

Ddeng mlynedd yn ddiweddarach roedd gwisgoedd nofio wedi newid tipyn. Dyma Gwyneth, Jennie, Margaret a Gwladys Thomas, chwiorydd o Fryn Ffactri, Pen-y-groes, Gwynedd yn ymlacio ar y traeth yn yr 1930au. (Llun: Casgliad Delyth Fletcher)

Bet, Nel, Sal a Winnie Vaughan o fferm Blaenplwyf Isaf, Aberangell, yn cael picnic yn y caeau gyda ffrindiau, ganol yr 1930au. Roedd picnica fel hyn yn boblogaidd iawn. (Llun: Casgliad Anne Jones)

Amlyga tynfa dawnsfeydd y tensiynau rhwng agweddau traddodiadol rhieni a dyheadau merched ifanc i fwynhau'r diwylliant hwn. Teimlai tad Megan Phillips, Cricieth, a oedd yn weinidog gyda'r Wesleaid, nad oedd yn addas iddi gymdeithasu mewn dawnsfeydd a phan briododd Nan Lewis, Cefneithin, a oedd 'yn dwlu ar ddawnsio', weinidog, rhybuddiodd ffrind hi, 'Nan, 'na ddiwedd dy ddanso di.' Er gwaethaf gwrthwynebiad ei mam mynnodd Valmai Owen, Tregaron, fynd i ddawns leol ac enillodd y *spot prize*. Ymddangosodd ei henw yn y papur, er mawr gywilydd i'w mam.

Eto cofia nifer ohonynt feistroli'r tango, y walts a'r *foxtrot* a gwisgo sgerti cwmpasog hardd ac esgidiau stileto i herio'r drefn. Ychydig o sôn sydd yna, yn rhyfedd braidd, am ddawnsio gwerin a thwmpathau poblogaidd y pum- a'r chwedegau a dim ond un neu ddwy, fel Pegi Lloyd Williams, a drigai ym Mlaenau Ffestiniog, sy'n crybwyll iddi wirioni ar ddawnsio roc a rôl. Erbyn y chwedegau roedd dawnsfeydd pop yn cael eu cynnal yng Nghricieth, Pwllheli a'r Rhiw, medd Laura Wyn Roberts, a hithau'n gwisgo jîns am y tro cyntaf i'w mynychu. Bu Laura yn dawnsio yn y Cavern, Lerpwl, hefyd ac roedd hynny'n 'fraint fawr'.

Roedd actio yn weithgaredd mwy cymeradwy. Ar lefel leol dysgai ysgolfeistri neu weinidogion lleol dalentau ifanc eu bro ac ymfalchïai May Lewis, Mynachlog-ddu, i'r papur lleol ei disgrifio fel '*born to the footlights*'! Rhoddai cwmnïau drama fel Cymdeithas Ddrama Abertawe, lle bu Marie Shirley yn actio sipsi yn un o ddramâu Molière, neu Gwmni Drama

Diane Evans yn mwynhau jeifio mewn dawns yn Neuadd Pontyberem (?); tua 1957–8. Roedd agweddau negyddol rhieni at ddawnsio yn colli tir yn gyflym erbyn y cyfnod hwn. (Llun: Casgliad Ruth Morgan)

Eic Davies – Y Gwter Fawr, y bu Marion Davies, Y Tymbl, yn rhan ohono, gyfleoedd amheuthun i actorion ifanc, llawn addewid. Pan oedd Marion yn byw yng Ngwauncaegurwen cafodd ran ym mherfformiad cyntaf *Dan y Wenallt*, trosiad T James Jones o *Under Milk Wood*. Ymunodd un siaradwraig â Chlwb Cymru Fydd yn Upper Parliament Street, Lerpwl, a phrofiad arbennig iddi oedd actio mewn dramâu fel *Gŵr Llonydd* gan John Gwilym Jones, *Blodeuwedd* Saunders Lewis a *The Wind of Heaven* gan Emlyn Williams. Bu Elsie Nicholas, Pontarddulais, yn actio gyda chwmni enwog Dan Matthews, Cwmni'r Hen Gapel a'r *English Players* heblaw sôn am flynyddoedd o wasanaeth i Gwmni Drama Abertawe. Ysgrifennu a chynhyrchu dramâu i Gwmni Drama Nanternis fu cyfraniad arbennig Nan Lewis a hi enillodd Fedal Ddrama Eisteddfod Genedlaethol Abertawe yn 1982. Ymestyniad o ddoniau actio oedd cymryd rhan neu arwain Noson Lawen. Sonnir am gyfraniad Mair Penri Jones i fyd y ddrama yn y bennod ar waith, ond diddanodd hi filoedd ar lwyfannau Nosweithiau Llawen hefyd, trwy greu ac actio mewn sgriptiau gwreiddiol am y ferch ysgol Bethan Mary neu Cwc Cantîn, ymhlith eraill.

Cwmni Drama Cyngor Celfyddydau'r Mynydd Mawr, Sir Gaerfyrddin, yn perfformio 'Lili'r Gwendraeth' gan Gwynne D Evans, yng Nghastell Cydweli ddechrau'r 1950au, gyda Marion Devonald Davies yn actio Arglwyddes Gwladys (mewn gwyn yn y canol). (Llun: Casgliad Cathy Irons. Hawlfraint Western Mail)

Hogodd sawl un ei thalent adrodd a chanu yn y llu eisteddfodau a frithai'r wlad, o'r *penny readings* neu'r *competitive meetings* mewn neuaddau pentref a festrïoedd capeli i'r Genedlaethol ei hun. Gallai Camwy Williams restru eisteddfodau ei bro: Bryngwenith (ger Ffostrasol), Henllan, Aberporth, Rhydlewis (Nos Galan), Pontcarreg a Llandysul; fel y gallai Elen Jones, Rhostryfan, yng nghylch ei milltir sgwâr hi: Rhostryfan, Bryn'rodyn, Rhosgadfan, Moel Tryfan, Llanrug, Llanberis, Nebo a Bontnewydd. Disgrifia Winifred Owen, Gwytherin, gerdded hyd at wyth milltir i gystadlu, 'Felly oeddan ni'n byw, del... fyddan ni'n cychwyn o steddfod, w'rach y steddfod 'di bod yn mynd tan hannar nos... cerdded adra yn braf. Ofn dim byd 'de.' Byddai'r neuaddau yn llawn a'r 'ffenestri yn dripian o chwys', chwedl siaradwraig o Daliesin. Dechreuent gystadlu'n lleol yn ifanc iawn. Cofia Elsie Nicholas gystadlu ar adrodd '*If*' gan Rudyard Kipling dan 16 oed yn eisteddfod Y Crwys (roedd tipyn o Saesneg mewn eisteddfodau bryd hynny, meddai) a dod yn ail i Nansi Jones, Clydach, a oedd yn '*outstanding*', gan ennill bag a swllt. Roedd bri mawr ar fagiau eisteddfodol a gofalai mam Sally Evans, Felindre, eu harddangos trwy eu hongian ar ddarluniau'r

Parti Cerdd Dant Eunice Bryn Williams, Tywyn yn canu yn Bridgenorth, Gŵyl Dewi 1970. Y delynores oedd Heulwen Roberts, Rhyd-y-main a'r unawdydd Margaret Owen, Y Bermo. (Llun: Casgliad Margaret Owen)

parlwr. Gellid cystadlu ar ystod eang o destunau yn cynnwys gwau a gwnïo, llenyddiaeth ac ysgrifennu traethodau. Crwydrai ambell un ymhellach – i Bontrhydfendigaid o ardal Ysbyty Ifan yn achos Ann Pierce Jones ac o Ddolgellau i'r Mwmbwls 'yn y sowth!' yn achos Eirlys Thomas. Cafodd sawl un o'r siaradwyr brofiadau amheuthun yn canu mewn corau hefyd, fel y siaradwraig o Orseinon a fu'n aelod o gôr merched yr enwog Myra Rees, Casllwchwr.

Mentrodd nifer i'r Genedlaethol, yn eu plith Gwen Owen, Llanarmon, Chwilog, a fu'n cystadlu ar ganu emyn; Nansi Hayes, Llangeler, a enillodd ar adrodd yn Ystradgynlais yn 1954, a hithau Einwen Jones, Glyn Ceiriog, a gyrhaeddodd y llwyfan naw gwaith yng nghystadleuaeth y *lieder*. Daeth llwyddiant i Gwen Parry Jones, Pen-y-ffordd, hefyd wrth ganu *lieder* ac unawdau yn y chwedegau. Arweiniodd hyn at ganu mewn cyngherddau ledled Cymru a Lloegr. Disgrifia sut y byddai'n gwisgo *evening dress* ac yn cael tair gini am ei llafur. Talai bunt am wneud ei gwallt, rhoddai bunt i'w mam am ofalu am y plant a chadwai bunt iddi hi ei hun. Cerdd dant oedd maes Margaret Owen, Afon-wen, Pwllheli, ac enillodd am ganu deuawd gyda Marion Eames yng Nghaerffili (1950) a'r ddeuawd agored yn Aberystwyth (1952). Am gystadlu ar y gamp anhygoel o ganu a gosod ar y pryd yr enillodd hi nifer o brif wobrau'r Genedlaethol rhwng 1952 ac 1963. Efallai mai Deilwen Jones, o Flaenau Ffestiniog yn wreiddiol, ddaliai'r record fwyaf rhyfeddol, er hynny, a hithau wedi ennill 64 cadair (rhai heb iddi eu gweld erioed yn Chicago a Phatagonia) ac wyth coron eisteddfodol, a'i siomi yn y Genedlaethol un tro.

Yn wir, mae gweithgarwch diwylliannol y menywod hyn trwy eu crefydda a'u hamddena yn gwbl syfrdanol ac yn teilyngu ei ddathlu a'i anrhydeddu.

Cymdeithasu anffurfiol braf yn nhŷ ffrindiau ym Mhont-iets yn yr 1960au hwyr. Sylwer ar y sigaréts a'r gwin. (Llun: Casgliad Ruth Morgan)

Roedd cystadlu a mynychu eisteddfodau mawr a mân, lleol a chenedlaethol yn mynd â bryd llawer o'r siaradwyr. Yma, gwelwn Myra Dewi Jones, tiwtor adnabyddus ac uchel ei pharch o Lanbedr y Cennin, ger Llanrwst, gyda thri o'i disgyblion disgleiriaf: Gareth Edwards (3ydd); Buddug Medi (2il) a Megan Owen (1af) yn y gystadleuaeth adrodd dan 18 oed, ar faes Eisteddfod Genedlaethol Caernarfon, 1959. (Llun: Casgliad Buddug Medi)

Glenys Evans (enw priod Morris, ar y dde) a Helen Ann Pritchard Ellis o Dremadog, gyda dau ffrind yn dathlu Dydd Gŵyl Dewi, Clwb Cymry Llundain yn y Festival Hall, Llundain; tua 1955. (Llun: Casgliad Glenys Morris)

CAMEO

Carys Whelan

Cawn ddarlun gwahanol i'r rhelyw gan **Carys Whelan** (Llwynypia, ganed 1942) o'i phrofiadau crefyddol hi.

Cafodd Carys ei magu yn Gymraes Gymraeg yn y Rhondda. Athrawes oedd ei mam a chofia Carys hi'n disgrifio merched yn llewygu yn yr ysgol o ddiffyg bwyd difrifol yn ystod dirwasgiad y tridegau. Roedd hithau 'yn denau fel astell' medd Carys, am ei bod yn rhoi ei bwyd ei hun i'r merched hyn. Dechreuodd ei haddysg ei hun mewn ysgol Saesneg ei chyfrwng ond yna bu ei thad, Kitchener Davies ac Emrys Jones yn ymgyrchu am ysgolion Cymraeg ac agorwyd Ysgol Gymraeg Ynys Wen yn 1950. Roedd Carys ymysg y disgyblion cyntaf a chofia'n eglur sut y câi'r disgyblion eu galw yn '*Welshies*' gan blant y Cwm.

Ymlaen wedyn i Ysgol Ramadeg y Merched y Porth gan dderbyn 'addysg eang, wych' gyda Mair Kitchener Davies yn athrawes Gymraeg a sicrhaodd y gallai astudio iaith a llenyddiaeth Gymraeg ac nid '*Easy Welsh'*, mewn dosbarthiadau ychwanegol ar ôl ysgol. Cerddoriaeth a Chymraeg oedd ei phynciau yng Ngholeg Prifysgol Aberystwyth yn y chwedegau a daw atgofion melys am fynychu'r *Home Café* neu'r *Penguin,* os oedd ychydig o arian dros ben yn y boced. Yna cafodd swydd yn y Llyfrgell Genedlaethol cyn priodi a symud i Bont-y-pŵl.

Gyda hynny daeth tro ar ei byd. Roedd wedi ei magu yn Fedyddwraig a disgrifia'r bedyddio mewn ffrog wen gyda phlwm yn ei hem i sicrhau na fyddai'n codi gyda'r dŵr ac yn datgelu ei dillad isaf wrth ei throchi. Roedd hi'n gwybod pam ei bod yn Fedyddwraig ac roedd hynny'n bwysig iddi. Ond yn y Coleg, wrth astudio Cerddoriaeth, cafodd ei swyno gan ganu'r plaenganau o gyfnod y Pab Grigor Fawr a theimlai fod y gerddoriaeth hon a glywai yn yr eglwysi Pabyddol 'yn treiddio i'r enaid'. Pabydd oedd ei darpar ŵr, Patrick, a denwyd hi i briodi yn yr eglwys Gatholig ac i ymuno â nhw, gan fagu ei phlant yn Gatholigion a Chymry Cymraeg, er gwaethaf ansicrwydd ei theulu ar y cychwyn a rhagfarnau'r cyfnod.

Fodd bynnag, roedd agweddau yn newid o fewn yr eglwys Gatholig ac yng Nghyngor y Fatican 2 gorchmynnwyd i bob gwlad gyfieithu'r offeren i'r iaith frodorol. Bu Carys yn rhan o'r broses hon. Dywed, pan holwyd hi yn 2000, ei bod wedi gallu clywed yr offeren yn y Gymraeg yn y Bontfaen, lle trigai erbyn hynny, ers deng mlynedd ar hugain a phan fyddai hi'n canu'r organ ei bod yn dewis emynau gan William Williams Pantycelyn ac Ann Griffiths yn aml.

Braint fawr a ddaeth i'w rhan yn 1982 oedd cael darllen y llith yn y Gymraeg pan ymwelodd y Pab John Paul II â Chaerdydd a chynnal offeren ar gaeau Pontcanna. Cofia iddi gael ffrog a het newydd at yr achlysur ac mae hi oedd yr unig fenyw ar y llwyfan. Does ryfedd, felly, mai hi fu un o brif lefarwyr ei heglwys ar y cyfryngau Cymraeg yn ystod ail hanner yr ugeinfed ganrif.

Pennod 6

YR AIL RYFEL BYD – YR HELBUL a'r CYFFRO

Roedd pob un o'r siaradwyr wedi byw trwy helyntion yr Ail Ryfel Byd ond wedi cael profiadau amrywiol iawn. Cofio'r cyfan trwy lygaid plentyn o ddiogelwch cymharol cefn gwlad a wnâi rhai, ond roedd y ffrynt cartref gyda'r bomio ar y trefi a'r dinasoedd yn fynych mor beryglus â maes y gad ei hun ac yn realiti creulon i nifer. Cofia eraill gyfrannu at yr 'ymdrech ryfel' a cheir atgofion llon a lleddf, dwys a doniol, wrth iddynt ymdopi â chyflafan a fyddai'n troi eu bydoedd wyneb i waered, unwaith ac am byth.

Roedd cysgod erchylltra'r Rhyfel Byd Cyntaf yn drwm ar feddyliau pawb ar 3 Medi, 1939, pan gyhoeddwyd yr Ail Ryfel Byd. Gwyddai Eirlys Jones, Y Bermo, ar unwaith na fyddai'r 'byd fyth yr un fath eto, fel 'sa ryw gwmwl du dros bob peth.' Cofia Enid Penry, Gorseinon, hithau'n fyw iawn ei mam 'yn gorwedd ar y *couch* yn llefen', gan y byddai'n rhaid i'w meibion fynd tramor i ymladd. Roedd Mair Williams, Llanelli, ymhell oddi cartref yn gweithio mewn ffatri gwneud *Sunderland Flying Boats* yng Nghaint ar y pryd a dyfynna lythyr ei thad ati, air am air, '*Dear Mair, War has been declared. Come home immediately. You are in a dangerous zone on the East Coast. On no condition are you to join any women's organization without my strict permission.*' Ufuddhaodd a dychwelyd i weithio i ffatri lawn perygl - y *Royal Ordnance* ym Mhen-bre.

Prydain oedd y wlad gyntaf yn Ewrop i gyflwyno consgripsiwn i fenywod gyda phob menyw rhwng 19 a 60 yn gorfod cofrestru ar gyfer gwaith o 'bwys cenedlaethol', dan y Gorchymyn Gwaith Hanfodol. Daeth hyn yn ddeddf yn Rhagfyr 1941. Eto, fel y noda Gwladys Burton, Llanbrynmair, petaech chi'n cynnig ymuno cyn bod rhaid, caech ddewis eich swydd. Dewisodd hi'r ffatri, gyrrwyd hi i swydd Gaer i hyfforddi ac oddi yno i ffatri gwneud awyrennau bomio Halifax yn Warrington. Gwisgai siwt foeler a bandin dros ei gwallt a gweithiai ddeuddeg awr, ddydd a nos, bob yn ail. Yn Llandudno y bu Lalmai Thomas, Dre-fach Felindre, yn arolygu gwneud adenydd awyrennau Halifax a gwneud ffrindiau oes yn y ffatri honno. Ildiodd Jennie Eirlys Williams, Deiniolen, hithau i'r drefn a mynd yn ffitwraig awyrennau gyda NECACO (*North East Coast Aircraft Company*) yn Llanberis. Bu'r profiad o weithio shifftiau hirion yn ormod i'w hiechyd a threuliodd weddill y Rhyfel yn swyddfeydd y Weinyddiaeth Fwyd ym Mae Colwyn. Yn ffatri NECACO y bu Elen Jones, Rhostryfan, hefyd ar ddechrau'r Rhyfel cyn symud i ffatri arall yn gwneud awyrennau, yng Nghaernarfon. Yno bu'n rhybedu darnau o awyrennau at ei gilydd ac ennill swllt a dwy'r awr a bonws. (Roedd y dynion, meddai, yn ennill deuswllt yr awr am yr un gwaith.) Gweithiai gyda phartner a'i dilornai am ei bod yn ferch, 'Do'dd o ddim yn fodlon gweithio efo hogan, 'te... Do'dd o'm yn trystio chi... i neud dim byd.' Yn yr un ffatri y bu Nancy Jones, Llandwrog, a theimlai hi dosturi dros y chwarelwyr mewn oed, a gollasai eu gwaith oherwydd y Rhyfel, yn gorfod derbyn eu hyfforddi mewn rhybedu a gosod yr adenydd at ei gilydd, gan ferched ifainc, a oedd wedi llwyddo i addasu i fyd newydd gwaith ffatri yn ddidrafferth.

Roedd nifer o ffatrïoedd gwneud arfau rhyfel a ffrwydron yng Nghymru. Cafodd Mary Evans, Gwauncaegurwen, waith peryglus yn gwneud caps dal powdwr mewn drylliau yn Hirwaun a chofia i un dyn gael ei ladd yno. Roedd ffatri Cookes Explosives ym Mhenrhyndeudraeth yn cyflogi rhyw 500 o weithwyr, medd Elizabeth Williams, a bu hi'n 'hapus iawn' yno am nifer o flynyddoedd. Glanhau tanwyr oedd rhan o'i gwaith a chofia ddamwain angheuol pan laddwyd tair merch ac un dyn.

Gweithwyr yn Ffatri Ffrwydron Cookes, Penrhyndeudraeth yn yr 1940au. (Llun: Casgliad Susie Jones)

Ystyriai bod ei chyflog wythnosol o £5 yn 'bres mawr' yr adeg hynny. Ar y llaw arall, cafodd y profiad o symud o Dreforys i storfa sieliau dan ddaear Trecŵn, Sir Benfro, ac aros mewn hostel yng Nghwm Gwaun, gyda merched 'ryff' 'o bob siort', effaith ddifrifol ar Kate Thomas. Na, doedd hi 'ddim yn lico 'na. O! O'dd e'n gomon. Dorres i 'nghalon lawr fan'na... O'dd wastad ofon arno i', meddai. Bu'n rhyddhad enfawr iddi ddod adref a gweithio yng nghantîn ffatri arfau rhyfel Mannesmann yn Abertawe.

Cafodd nifer o'r siaradwyr eu galw i wasanaethu yn y lluoedd arfog; yn yr *Women's Auxiliary Airforce* (*WAAFs*) yn arbennig. Ym maes awyr Abertawe y bu Eirlys Owen, Bow Street, yn bennaf, yn profi plygiau tanio awyrennau

Marjorie Edmunds o Lanelli, aelod o'r WAAFs, yn ymlacio ar drwyn un o'r awyrennau a wasanaethai ym Maes Awyr Dunsfold, swydd Surrey; rhwng 1942 a 1946. Ei gwaith hi oedd cynhesu'r awyrennau ar y rhedfa yn barod ar gyfer y peilotiaid gwrywaidd. (Llun: Casgliad Marjorie Edmunds; Archif Menywod Cymru)

Gweithio i'r Gwasanaeth Ambiwlans, Sir Drefaldwyn, yn 1941. (Llun: Geoff Charles)

ac yn cymysgu'n braf gyda merched o Awstralia, Seland Newydd a gwledydd eraill. Gwelodd Anna Eynon 'y byd', meddai, gan deithio o'i chartref yn Llanddewi Felffre i Gaerloyw i hyfforddi a *square-bashing,* yna i Stratford, yn ôl i faes awyr Comin Fairwood, Abertawe, i Dalbenni, Penfro ac yn olaf i Dunkeswell yn Nyfnaint. Gofalu am y cyfrifon a 'joio' yr oedd hi, ond tra oedd yn Fairwood daeth awyren Brydeinig i lawr ar ben ei llety a lladd un o'i chydweithwyr. Gorchymynnwyd hwy i gadw'r ddamwain yn gyfrinach. Cafodd Alice Langdon, Blaengarw, hithau ei symud o le i le gyda'r *WAAFs*. Bu'n gwnïo cyrff awyrennau yn Angle, Penfro, cyn graddio i yrru ambiwlansys ym Mhwllheli. Ar ôl dychwelyd i Angle cafodd y profiad erchyll o helpu cario cyrff cant o filwyr yn eu harddegau a foddodd wedi llongddrylliad ar greigiau'r arfordir. Treuliodd gyfnod yn gwella o'r trawma hwn, cyn mynd i Portreath, Cernyw yn y pen draw. O'i gymharu, ymddengys cyfnod Laura Williams, Tudweiliog, yn y *Navy, Army and Airforce Institutes* (*NAAFI*) yn gwasanaethu'r lluoedd arfog yng ngwersylloedd Llandwrog a'r Bermo bron yn bleserus a chyfaddefa fod 'lot o sbort i'w gael... yn enwedig pan o'dd rhai diarth, newydd, yn dod i mewn.'

Ymfyddino gyda Byddin Dir y Menywod oedd hanes rhai siaradwyr. Disgwylid i ffermwyr gynhyrchu digon o fwyd i wneud Prydain yn hunangynhaliol, a gan fod y gweision wedi ymuno â'r lluoedd arfog, gorchmynnwyd i ferched sengl a phriod di-blant weithio ar y tir.

Nel Vaughan o fferm Blaenplwyf Isa, Aberangell, a ymunodd â Byddin Dir y Menywod yn Swydd Gaerwrangon yn 1939. (Llun: Casgliad Anne Jones)

Anne Evans, Nantgwynant, yng ngwisg swyddogol Byddin Dir y Menywod; 1943. Meddai am y profiad o ymuno â'r Fyddin Dir, 'O'n i'n gorfod mynd, doedd 'na ddim dewis i rywun. Oeddach chi'n gweld rhai er'ill yn mynd o'ch ffrindia wedyn do'dd o 'mond yn beth naturiol, nag oedd?' (Llun: Casgliad Anne Evans; trwy garedigrwydd Eleri Evans)

Bach iawn oedd y cyflog, yr oriau yn hir a'r gwaith corfforol yn y caeau yn hau, medi, gwasgar tom a difa plâu yn drwm a diarbed. Yn y gogledd, un amod o gofrestru oedd mynychu cwrs amaethyddol yng Ngholeg Madryn ym Mhwllheli – mis i ferch fferm fel Anne Evans, Llaniestyn, a thri mis i ferch o'r dref. Disgwylid i Anne wisgo'r wisg swyddogol: trowsus lliw caci, siwmper a chrys gwyrdd a chot fawr at dywydd garw. Cofia fod gwisgo trowsus wedi bod yn fater o bwys mawr yn yr ardal a bod pawb yn rhyfeddu ati! Ymhelaetha Nancy Williams, Penrhiw-llan, am y wisg, y 'britsh rib... o'ch chi'n clymu fe dan y ben-lin', bathodyn y *WLA* (*Women's Land Army*), y got fawr, 'o'dd hi wedi ca'l 'i leino â gwlân, y peth gore o'dd 'da nhw' a'r het. Ond gallai'r amodau fod yn echrydus, fel y dengys Kitty Williams wrth drafod profiadau ei chwaer Mary ar fferm yng Ngheredigion. Bara menyn a chaws oedd ei hunig gynhaliaeth ac anfonid hi allan i dynnu ysgall yn y caeau heb fenig i warchod ei dwylo a'i breichiau. Gyda'r Comisiwn Coedwigaeth yn ardal Betws-y-coed y bu Dorothy Owen yn gwasanaethu; yn plannu, tocio a thrawslifio coed yn byst pwll glo. Dywed 'O'dd o'n galed, achos oeddan nhw'n drwm, w'chi, yr hen goed 'ma ' ond roedd wrth ei bodd yng nghwmni gweithwyr eraill y goedwig.

Janet Ivy Griffiths yn gyrru tractor yng Nghanolfan y 'War Ag.', Chwilog, Sir Gaernarfon; tua 1945. (Llun: Casgliad David Trefor Owen)

Dorothy Owen (ar y dde) a chydweithwyr yn y Comisiwn Coedwigaeth, Betws-y-coed yn yr 1940au. (Llun: Casgliad Dorothy Owen, trwy garedigrwydd Siân Wynne)

Bu menywod unwaith eto, fel yn ystod y Rhyfel Byd Cyntaf, yn llenwi'r bylchau a adawyd gan ddynion yn y gweithle. Gadawodd Nancy Williams, Pencaenewydd, ei swydd yn nyrs yn ennill £2.10s yr wythnos a mynd yn docynwraig ar fysys Crosville, lle enillai hyd at £8 yr wythnos, 'cyflog mawr' bryd hynny. 'Conductio a hel pres' oedd ei gwaith, meddai, 'O'dd o'n goblyn o job... RAF Dinas Dinlla. Fydda bysys yn llawn i'r top. Weithia fyddan ni'n cael plisman i ddod efo ni a fyddan nhw wedi meddwi, yn enwedig ar nos Sadwrn.' Gyda'r gwasanaeth tân y bu Sarah Thomas, Porth Amlwch, a chael ei hanfon gyda thri dyn a thair dynes i loches oer bob nos Sul o wyth y nos tan wyth y bore i gadw gwyliadwriaeth.

Menywod yn docynwyr ar y bysys yn Y Bermo yn yr 1940au. (Llun: Casgliad Gwyneth Edwards)

Roedd mwy o swyddi fel clercod yn dod yn sgil biwrocratiaeth y Rhyfel. Gyda chyflwyno dogni ar 8 Ionawr 1940, roedd gwaith yn y Weinyddiaeth Amaeth yn darparu llyfrau dogni a phenodi nwyddau i siopwyr. Cadw cyfrifon ar beiriant Hollerith yn swyddfeydd Bae Colwyn y bu Rhiannon Evans, Rhiwlas, a chofia Pegi Lloyd, Llansamlet, orfod symud i swyddfeydd mwy yn Stryd Rutland, Abertawe, oherwydd y galw mawr. Erbyn ei hail fore roedd y stryd wedi ei bomio i'r llawr. Cynyddodd gwaith papur swyddfeydd post yn aruthrol gan mai nhw oedd yn dosbarthu'r llyfrau dogni, fel y dengys tystiolaeth Nan Davies, Creunant. Ond y gwaith caletaf o ddigon iddi hi oedd delio â'r telegramau o'r Swyddfa Ryfel yn cyhoeddi fod hwn a hwn o'i chyfoedion '*missing, believed dead*'.

Fel y gellid disgwyl, roedd galw mawr am wasanaeth nyrsys. Mewn ysbyty yng Nghaerloyw y bu Sal Roberts, Gwynfa, a gwelodd effeithiau'r prinder deunyddiau:

> O'n i yn yr *operating theatre*... fel *staff nurse*... a o'n i'n gorfod – y *swabs* 'ma, ar ôl 'u iwso nhw, o'n i ddim yn taflu nhw ffwrdd, o'n i'r gorfod socan nhw mewn dŵr ôr a *hydrogen peroxide* a swilo nhw mas, berwi nhw i gyd wedyn a'u ail-iwso nhw... Os deuai *air raid* yn ystod y nos roedd disgwyl i chi roi'r *patients* dan y gwely.

Yn Ysbyty'r Infirmary, Caerdydd, y drefn oedd rhoi padell olchi dros ben claf os dechreuai'r bomio pan oedd yn y theatr, medd Eunice Iddles. Ymgeleddu milwyr clwyfedig fu eraill. I Ysbyty Alder Hey, Lerpwl, y cludwyd llawer o filwyr Brwydr Dunkirk, ac roeddynt 'jyst yn disgyn ar y gwlâu yn rhy wan i ddeud be oedd eu henwa nhw; oeddan nhw'n fudr a golygfa drist ofnadwy', tystia Margaret Owen, Afon-wen, ond cafodd 'ryw nerth o rywla i ddal ymlaen' â'r gwaith.

Cafodd Artudfyl Morgan, Rhymni, ryfel anturus yn nyrsio. Rhwng 1939 ac 1943 bu'n helpu ei chwaer, Rhiannon, i redeg ysbyty heintiau Tan-y-bwlch, ger Aberystwyth, lle bu'n ymgeleddu faciwîs o Lerpwl a oedd yn dioddef o impetigo a'r crafu, cyn i ddwsin o filwyr Dunkirk a'u problemau seicolegol, gyrraedd. Ond yna galwyd hi i ymuno â'r *Queen Alexandra's Military Nursing Service* (*QAs*) a mynd i Hatfield House yn Hertfordshire i baratoi ar gyfer *D-Day*. Gwisgai ffrog lwyd a chlogyn bach coch y *QAs*, cyn cael ei mesur gan Austin Reed, Llundain, am siwt gaci â botymau pres ar gyfer y daith dramor. Dau ddiwrnod o rybudd a gafwyd cyn croesi i Normandi a'i gorchymyn hi a'i chydweithwyr i wneud ewyllysiau. 'Roedd yn hwyl ofnadwy,' meddai 'yn ein hystafelloedd yn arwyddo ewyllysion ein gilydd.' Wedi cyrraedd Caen a pharatoi'r ysbyty maes, tasg y nyrsys oedd derbyn y confois lorïau ddydd a nos a'u 'patsho nhw lan cystal â phosib er mwyn eu danfon yn ôl i'r *U.K.*' Un diwrnod cyrhaeddodd carcharorion rhyfel o'r *SS Panzer Division*, 'yn ddynion anferth, mawr, a golwg ofnadwy arnyn nhw', oherwydd eu clwyfo gan shrapnel. Er mewn poen, gwrthodai un iddi ei gyffwrdd o gwbl, roedd eisiau ei drin heb chwistrelliad. Ar ôl dychwelyd o Normandi bu Artudfyl mewn sawl ysbyty cyn cyrraedd ysbyty Middlesborough i ofalu am garcharorion rhyfel difrifol glwyfedig. Swyddogion Natsïaidd oeddent a chafodd 'ei thrin fel brenhines' ganddynt. Ar ddiwedd y Rhyfel, wrth ei dadfyddino, derbyniodd fonws o £30 i ddiolch am ei chyfraniad anrhydeddus i'r ymdrech ryfel.

Darlunnir erchylltra effeithiau bomio gan sawl siaradwraig. Y profiad mwyaf ingol i Buddug Thomas, Llanbrynmair, a oedd yn athrawes ym Manceinion ar y pryd, oedd galw'r gofrestr a chael yr ateb cyson, '*They won't come, Miss. They had a direct hit last night.*' Anelu am iard adeiladu llongau Cammell Laird yr oedd y bom a ddinistriodd gartref Nesta Thomas ym Mhenbedw. Gwnaeth y profiad argraff annileadwy arni:

> Ddaru ni golli'n tŷ, 'aru ni ga'l 'n bomio allan... mi gollwyd bob dim. Gwydra a rwbal... yn bob man, 'de? A'r unig beth safodd ar 'i draed oedd... hen gwpwrdd gwydyr Nain... y gwydyr a bob dim yn 'i le. Mae hwnna gin i yn y parlwr 'ma rŵan... Dwi'n cofio rhei o'r merchaid... yn gweiddi '*God save us.*'

Gwelodd Eunice Harris, yr Alltwen, sefyllfa debyg yn dilyn y Blitz tair noson enbyd ar Abertawe rhwng 19 ac 21 Chwefror 1941, pan laddwyd 230 ac anafwyd 370. Roedd Wine Street wedi cael '*direct hit*', 'A o'n nhw'n gweud bod dwsenni yn chwilo yn y rwbel am bethe – achos *jewellers* oedd yn Wine Street bryd hynny fwyaf,' meddai. Cofiai pob siaradwraig yn ne orllewin Cymru weld 'Abertawe'n fflam' a'r awyr yn goch tanbaid ar y nosweithiau ingol-drist hyn. Gwyddai'r trigolion bod y dociau yn darged parod, fel y disgrifia Miriam Evans, Tre-boeth:

> Bob tro o'dd hi'n bwrw eira o'n i'n gwbod bydden ni'n ca'l rhywbeth, achos o'dd yr afon (Tawe) yn sefyll mas yn genol gwyn yr eira... O'dd hi'n amser caled. Torri'ch ysbryd chi... Ma cymeriad Abertawe wedi mynd a dyw e byth wedi dod 'nôl.

Gweithiai Nancy George yn Little Wine Street tan 1944, ac ar ei ffordd adre byddai'n pasio siop goffinau â phentwr o goffinau'n barod rhag ofn y ceid Blitz arall. Ar y llaw arall, cymerai Mair Matthewson, Gellifedw, a'i ffrindiau agwedd gafalîr at y cyrchoedd awyr tan i fom ffrwydro gerllaw 'a'n whythu i'r clawdd… Rheteg wetyn bob cam sha thre!' Yn Llundain yr oedd Eirwen Gwynn yn ystod gwanwyn 1944 pan ddioddefwyd yr ail Blitz. Ganwyd ei mab, Iolo, yng nghanol y bomio a phan ganai'r seiren rhuthrai myfyrwyr meddygol i'r ward i'w gwthio mewn cadeiriau olwyn i'r selerydd. Penderfynodd Eirwen mai doethach fyddai dianc i Gymru a disgrifia sut y buont yn aros mewn lloches nes bod bom yn syrthio ac wedyn, gan wybod bod deng munud cyn y bom nesaf, rhedeg ar draws Comin Clapham i'r Tiwb. Daliodd y trên cyntaf allan o Euston heb wybod ble'r oedd yn mynd!

Dianc rhag y bomio wnaeth miloedd o faciwîs hefyd. Gwelir tuedd weithiau i gamliwio'n or-gadarnhaol brofiadau faciwîs a ddaeth i Gymru – o'u safbwynt hwy ac o safbwynt eu gwestywyr. Roedd y darlun mewn gwirionedd dipyn yn fwy cymhleth, fel y dengys tystiolaeth yr hanes llafar hwn. Dod i aros at eu teuluoedd wnaeth rhai fel Gwynneth Rowlands a dreuliodd y Rhyfel ymhell o berygl Lerpwl, yng nghartref ei thaid a'i nain

Faciwîs yn mwynhau gwers natur, Caersws; 1939. (Llun: Geoff Charles)

ym Mryntwrog, Ynys Môn, a chofia redeg adre o'r ysgol bob dydd Llun i ddarllen y llythyr oddi wrth ei rhieni. Dod fel faciwîs preifat i Dalsarnau wnaeth teulu Doreen Thomas hefyd, ond ni fu'n brofiad pleserus iddi am nad oedd yn gallu siarad Cymraeg, 'o'n i'n cael fy mwlio… am bod fi'n wahanol… tynnu 'ngwallt i… gangio i fyny yn erbyn chi', a pharhaodd hyn gydol ei chyfnod yn yr ysgol. Symudwyd ysgolion cyfan o'r trefi dan fygythiad i gefn gwlad Cymru a chofia Miriam Evans mor anodd oedd ymdopi fel athrawes â phlant ysgol drefol Abertawe yn Llandeilo wledig heb fawr adnoddau a dim ond un toiled rhyngddynt.

Disgrifir droeon y broses o ddosbarthu'r faciwîs i gartrefi dieithriaid. Gweithiai mam Olwen Lewis, Tal-y-bont, Dyffryn Ardudwy, i'r *Women's Voluntary Services* (*WVS*), gan dderbyn y plant oddi ar y trên a'u didol. Does ryfedd, meddai, fod y plant yn crio wrth gael 'eu dympio ar unrhyw un o gwbl – hen, hen ferched yn cymryd plant bach o ganol Birkenhead.' Rhaid cofio bod lwfans o 7s. 6c yr wythnos a dogn ychwanegol o fwyd am letya faciwî. Nid yw darlun Olwen Owen o'r drefn yn Llannerch-y-medd yn un cysurus ychwaith. Cyrhaeddent y capel 'â'r *labels* 'ma… a *gasmasks* rownd 'u 'sgwydda… o'dd o fel tasa rhywun yn pigo anifail - pawb yn mynd "mi gymera i hwn…". Jyst *pick and choose* o'dd hi.' Deuai llawer o'r plant o ardaloedd tlodaidd a chyfeirir at y llau a'r chwain yn eu gwalltiau, yr impetigo a'r crafu ar eu crwyn a'r ffaith fod trawma'r mudo yn gwneud iddynt wlychu'u gwlâu'n gyson o hiraeth. Yn fynych doedd gan y plantos 'ddim ar eu helw ond y dillad amdanynt', medd Margaret Lloyd Evans, Llanrhaeadr-yng-Nghinmeirch, ond cartrefodd ei mam ddeg faciwî. Caent fàth bob nos Sadwrn a thra cysgent golchai a sychai ei mam eu dillad dros nos 'iddynt fynd i'r capel i ddweud eu hadnodau a ddysgwyd iddynt yn Gymraeg', trannoeth.

Pwysleisia sawl siaradwraig y gwrthdaro diwylliannol. Ar ddechrau'r Rhyfel daeth llawer o famau i'r wlad gyda'u plant ond tystir iddynt ddychwelyd yn sydyn ar ôl sylweddoli nad oedd tafarnau ar agor yng Nghymru ar y Sul. ''Na beth o'dd *tribe*', dywed Gwinnie Thomas, Meidrim, yn 'smoco fel *troopers*' ac yn gwrthod bwyta cawl ei mam am ei fod fel '*pigs' food*'. Sglodion oedd eu hoff fwyd ac nid oeddent wedi arfer â bwyd maethlon fel menyn fferm a llaeth o'r fuwch, meddid. Roedd llawer o'r plant ofn y tywyllwch dudew a mynnai'r rhai fu'n aros gydag Annie Meirion Evans, Dolgellau, gysgu ar y llawr o dan y gwely yn hytrach nag ynddo. Gwahaniaeth sylfaenol arall oedd bod cynifer ohonynt yn Gatholigion, senario eithriadol brin ymhlith Cymry Cymraeg ar y pryd. Yn sicr ehangwyd gorwelion y naill garfan a'r llall wrth rannu profiadau gwahanol o'r fath.

Elfen arall o wrthdaro posibl oedd yr iaith. Bu'n draddodiad ymysg rhamantwyr i honni i'r faciwîs feistroli'r Gymraeg ar fyrder ac mae peth gwirionedd yn hynny. Gan fod llawer o'r cartrefi yn uniaith Gymraeg, gorfodwyd y faciwîs i addasu a dysgu'r iaith a bu faciwîs Rhydargaeau yn cystadlu yn eisteddfodau pentref Peniel a churo'r brodorion, medd Edwina Lewis. Pan ddwedodd mam Peter, y faciwî oedd yn aros gydag Adie Evans yn Aber-cuch, nad oedd eisiau iddo ddysgu Cymraeg, atebodd hithau'n ddigyfaddawd, '*I beg your pardon. In Rome you have to do what the Romans do.*' Ymgartrefodd sawl un yng nghymdeithas y capel efo'u gofalwyr newydd. Ond gweithiai'r sefyllfa ieithyddol i'r gwrthwyneb yn ogystal, a thystia llawer o'r siaradwyr mai dyma pryd y dechreuon nhw siarad Saesneg yn eu cymunedau. Teimlai siaradwraig o Benmaenmawr, iddi gael 'plentyndod... 'di rhwygo yn yr iaith'. Yn sicr bu dyfodiad faciwîs yr Ail Ryfel Byd yn her i'r cymdeithasau uniaith Gymraeg.

Croeso cymysg a gafodd dieithriaid eraill – y carcharorion rhyfel o'r Eidal a'r Almaen. Yn eu dillad carchar, gwyrdd â phatshyn diemwnt, teithient at eu gwaith ar y ffermydd a'r heolydd ar feic neu mewn lorïau pwrpasol. Gwnâi Eidalwyr Pontllyfni fasgedi gwiail i'w gwerthu yn lleol, medd Mary Wyn Jones, ond roedd ofn yr Almaenwyr arnynt. Eto, o ddod i'w hadnabod yn well fel gweithwyr cydwybodol, sylweddolwyd mai dim ond darnau dibwys ym mheiriant diarbed y Rhyfel oeddent hwythau. Croesawai mam Pegi Lloyd Williams Eidalwyr i swpera gyda nhw ym Mlaenau Ffestiniog, oherwydd, 'Ma'n nhw'n blant i rywun.' Ni chafodd sawl carcharor rhyfel ddychwelyd adref am flynyddoedd wedi'r Rhyfel. Yn 1946 y cyfarfu Maisie Nitsch, Llangadog, â Fritz a weithiai ar fferm yn Llanymddyfri. Dysgodd gyfarchiad Almaeneg, '*Guten abend*' i'w rwydo a datblygodd y berthynas, er nad oedd ei theulu'n hapus ei bod am briodi '*alien*'. Wedi'r cyfan roedd ei thad wedi ymladd yn y Rhyfel Byd Cyntaf. Wyddai Fritz ddim beth oedd hanes ei deulu yn yr Almaen, oherwydd roedd y Rwsiaid wedi eu gyrru'n ffoaduriaid o'u gwlad, tan i lythyr gyrraedd trwy'r Groes Goch. Credasai ei fam ei fod wedi marw ond cafodd wybod iddo oroesi. Eto, ni fu'n bosibl i Fritz ei chyfarfod wedi'r Rhyfel gan ei bod yn byw bellach yn Nwyrain yr Almaen. Stori debyg adroddwyd gan Edna Stenger, Abergwaun, a gyfarfu â Karl, '*six-footer* â pen o wallt gole' wedi'r

Rhyfel ac er gwrthwynebiad cychwynnol y teulu a'r cymdogion, daethant i'w dderbyn a'i barchu am ei fod yn weithiwr da. Unwaith eto roedd mam Karl wedi cael ar ddeall bod ei phedwar mab wedi'u lladd yn y Rhyfel ond carcharorion rhyfel fu Karl a'i frawd, Robert. Cafodd Edna a Karl groeso tywysogaidd pan aethant allan i'r Almaen i'w chyfarfod.

Compact a wnaeth carcharor rhyfel o'r Eidal, Bighi Antonio, yn rhodd i Betty Thomas (Betty Price ar ôl priodi) a wasanaethai ym Myddin Dir y Menywod yn ardal Arberth. Roedd e ar fin dychwelyd i'r Eidal; tua 1945. Doedden nhw ddim yn gariadon ond gweler y llythrennau BT arno a siâp y galon. Dyweddïodd Betty â Tom Price, Arberth, ac mae'n gwisgo bathodyn Byddin Dir y Menywod ar ei siwmper. Priododd ef yng ngwanwyn 1946. (Llun: Casgliad Carol Price)

Bu tadau a gwŷr rhai siaradwyr yn garcharorion rhyfel eu hunain. Yn Narvik, Norwy, y cipiwyd llong tad Bethan Roberts, Llangrannog, gan yr Almaenwyr ddechrau 1940 a throsglwyddwyd ef i Sweden niwtral, lle bu'n gweithio ar fferm a'i drin yn garedig. Yna, cipiwyd ef drachefn a'i garcharu yn yr Almaen. Llwyddodd i anfon neges trwy ei gyd-garcharorion a dyna sut y clywodd ei mam ei fod yn dal yn fyw. Yn ystod y cyrch ar Tobruk, Libya, y carcharwyd cariad Peggy Lewis, Cwm-twrch Isaf, a bu'n garcharor yn yr Eidal am bum mlynedd ac yna yn yr Almaen. Ysgrifennai hi ato trwy'r Groes Goch bob dydd ac anfonai barseli bwyd i leddfu'i newyn. Ar ôl cyrraedd adre ynganodd e'r un gair am ei brofiadau yn garcharor.

Ychydig o sôn sydd am wrthwynebwyr cydwybodol yn yr hanes llafar hwn. Doedd dim gorfodaeth ar fenywod i gario gwn na lladd eu cyd-ddyn, er bod nifer ohonynt wedi gweithio mewn ffatrïoedd cynhyrchu arfau rhyfel ac i'r gwasanaethau milwrol eraill. 'Gwneud gwaith o bwysigrwydd cenedlaethol' oedd y nod, a derbyniai'r rhelyw'r cyfrifoldeb hwnnw heb gwestiynu gormod ar eu cydwybod. Dioddef gwawd eu cymdogion oherwydd bod eu brodyr yn wrthwynebwyr cydwybodol fu hanes Erinwen Johnson, Gwytherin a Lora Roberts, Llanystumdwy, ac roedd hynny'n loes i ferched yn eu harddegau. Cofia Lora bobl 'yn taflu tyweirch ati, yn dweud pethau annifyr, neu'n ei phasio heb ddweud dim', ond roedd yn ddigon aeddfed i gydymdeimlo â dadleuon y ddwy ochr. Eithriad prin felly oedd Ifanwy Williams, Lerpwl, a wrthododd gofrestru ar gyfer gwaith rhyfel ar sail Gristnogol a'i chefnogaeth i'r *Peace Pledge Union*. Cofia, er hynny, syndod y swyddogion cofrestru, 'Oeddan nhw'm wedi clywed sôn... i ferch... Oeddan nhw'n edrych yn hyll iawn arna i', ond gan mai gweithwraig gymdeithasol ydoedd, chafodd hi mo'i galw i wasanaethu'n filwrol. Safiad symbolaidd oedd hwn iddi hi a chyfaddefa, 'ddaru mi ddim diodda'. Eithriad arall oedd Pegi Lloyd Williams a wrthododd gydymffurfio ar sail cydwybod. Cafodd ei dwyn gerbron tribiwnlys, criw o ferched 'digon cas, digon milain'. 'Oeddan nhw'n trio'ch trapio chi, trio'ch dal chi... Oedd gen i chwiorydd â phlant bach? Be fyswn i'n neud 'swn i'n gweld y *Germans* yn dod â gwn yn 'u llaw?' Ei hunig ateb oedd na allai feddwl cario gwn i ladd. Treuliodd Pegi 'gyfnod annymunol iawn' y Rhyfel yn gweithio yn storfeydd y *NAAFI* yng ngwersylloedd milwrol Bronaber, Trawsfynydd a Thorfannau, Tywyn.

Fel y gellid disgwyl, effeithiodd y dogni bwyd ar fenywod yn arbennig, gan mai nhw oedd yn gorfod ymdopi yn bennaf â'r prinder. 'Dwy owns o fenyn; chwarter pownd o farjarîn; hanner pownd o siwgir; un wy a chig moch a chig; dwy geiniog neu grôt o *corned beef*' oedd y dogn wythnosol a gofiai Mattie Reece, Yr Alltwen, ond gan eu bod yn cadw ffowls a moch ac yn trin yr ardd, 'starfon ni ddim, shiffton ni,' meddai. Adleisir hyn gan dystiolaeth o Landegfan, 'am bod gynnon ni ddwy neu dair buwch o'dd gynnon ni bob amsar lefrith. O'dd Mam yn gneud menyn. O'dd gynnon ni ieir, wyau. O'dd gynnon ni bob amsar datws... mi o'dd gynnon ni res o gwsberis, mi o'dd gynnon ni gellyg, fala, mi oedd gynnon ni bys yn tyfu yn 'r ardd, cabaits. Oeddan ni... bron iawn yn hunangynhaliol.' Disgrifia Elizabeth Morris, Clynnog Fawr, mor anodd oedd paratoi merched ar gyfer arholiad coginio'r *Central Welsh Board* yng nghanol y dogni hwn. Prin fod digon o fwyd i ymarfer arno a chofia un ferch yn gwneud sbwng gyda thatws. Trigai Sinah Watkin Jones yn y Bala adeg y Rhyfel a chan fod ganddynt gysylltiad teuluol â fferm a siop llwyddwyd i 'ddal i fynd yn rhyfeddol'. Deuai myfyrwyr o'r Coleg Diwinyddol i'r tŷ i swpera droeon ac yn dâl amdano byddent yn ymarfer eu pregethau a'i gŵr yn eu tynnu yn ddarnau. Roedd bananas ac oraensys fel aur a chiwiau hirion yn ffurfio pan ddeuai si fod cyflenwad wedi cyrraedd y siop leol. Roedd gweithio mewn siop groser yn heriol, fel y dywed Heulwen Jones, Pentrefoelas, yn enwedig pan gyrhaeddai stoc o ddeuddeg tun samwn a phawb eisiau un, 'roedd modd pechu pobol yn hawdd'. Felly hefyd losins, fferins neu dda da, a gyfyngid i ddeuddeg owns y mis. Fel y dywed Glenys Pritchard, Lerpwl, 'o'dd ganddoch chi fwy o ffrindia pan oedd ganddoch chi gwpons (fferins).' Disgrifia Ann Rosser, Gellifedw, sut yr awchai flasu siocledi *Black Magic* o focs gwag yn y tŷ, 'Wi'n cofio ishte ac edrych am orie ar yr hen glawr 'na a dychmygu sut beth fydde ca'l *chocolate orange* a *coffee cream!*'

Does ryfedd fod storïau doniol am y farchnad ddu yn britho'r hanesion, er mai o hyd braich y clywsai'r rhelyw'r hanesion apocryffaidd hyn. Fel y dywed Mavis Llewelyn, Ystalyfera, 'y sôn oedd' fod y siopwr lleol... yn gyrru hers â choffinau ynddi i'r wlad ac yn dychwelyd yn llawn o nwyddau'r farchnad ddu. Awgrymir bod modd llwgrwobrwyo'r awdurdodau, trwy roi '*shoulder* fach o fochyn ar stepen drws y plismon a cilio bant', chwedl Mair Matthewson, Gellifedw. Bu Diana Roberts, fodd bynnag, yn helpu ei mam i werthu menyn ar y farchnad ddu yn 'Syswallt' (Croesoswallt). Petai arolygwyr o gwmpas cuddid y menyn mewn caffi a byddai'n rhaid i Diana eistedd ar ben bocs neu bot o fenyn, nes i'r perygl fynd heibio. Oedd, roedd 'disgwyl i chi ddweud celwydd *full pelt* amser y Rhyfel', medd Buddug Thomas, Llanbrynmair.

Câi dillad a deunyddiau eu dogni hefyd, a disgwylid i fenywod '*Make do and Mend*', hyd syrffed. Yn ffodus, roedd gan Mair Bowen, Boncath, fodryb yn gweithio mewn ffatri barasiwtiau yn Y Fflint. Lliwiai ei mam y deunydd a gwneud peisiau ohono. Roedd sanau sidan bron yn amhosibl i'w cael a disgrifia sawl siaradwraig roi *gravy browning* ar eu coesau i fynd i ddawnsfeydd a 'tynnu lein i fyny o ganol 'ch sowdwl i dop 'ch coes i ddangos bod ganddoch chi sanau *fully-fashioned,*' meddai Pegi Lloyd Williams. Tystia'r menywod hefyd am ddogni dur – dechreuodd Fona Jones, Gorseinon, ei bywyd priodasol heb gwcer oherwydd 'yr ymdrech ryfel' a bu'n rhaid i Katie Williams, Pennant, Dolbenmaen, giwio am dair awr i brynu tegell yn Lerpwl yn 1944. Roedd dogni petrol yn cyfyngu llawer ar fudoledd y gymdeithas wledig.

Ond tarfodd y rhyfel yn llawer mwy sylfaenol ac ingol ar fywydau rhai menywod. Bu sawl tad neu ŵr dramor am flynyddoedd maith yn rhyfela, gan ddychwelyd yn ddynion gwahanol. Bu tad Meirwen Davies, Ffynnongroyw, i ffwrdd am dair blynedd a phan aeth i'w gyfarfod adre, gwelodd 'y dyn yma â bag ar ei gefn' a hithau wedi colli pob adnabyddiaeth ohono. Am dri mis yn unig y gwelodd Esther Griffith, Glynrhedynog, ei gŵr yn ystod y rhyfel a does ryfedd iddi ddatgan, 'Wi'n teimlo bod rhan ore ein bywyd ni wedi mynd...' Amhosibl peidio â chydymdeimlo ag Elsie Nicholas, Pontarddulais, yn 'sgrwbio'r stepen (ei chartref) a dagre'n cwmpo ar y (sebon) *Cardinal* a *blotches* drosto', wedi ffarwelio â Glyn, a hwythau ar drothwy eu bywyd priodasol. Collodd eraill anwyliaid yn y gyflafan ac mae'r storïau hyn yn deimladwy iawn. Roedd Mair Owen, Llanfair Talhaearn, wedi bod yn briod am bum mlynedd pan laddwyd ei gŵr yn ymgyrch *D-Day*. Dim ond 21 mis oedd eu mab bach, Gareth. Cofia dderbyn y llythyr tyngedfennol. Ar ddiwedd y Rhyfel bu'n anodd ganddi ddygymod â gweld y milwyr eraill yn dychwelyd yn ddianaf.

Cynigiodd y Rhyfel brofiadau dieithr ac ehangwyd gorwelion y Cymry. Roedd gwersylloedd milwrol ym mhob man, a thref Tywyn, 'yn fyw o filwyr' medd Mary Evans, Tal-y-bont, Bangor. Yn eu plith roedd Americanwyr, a pherffeithiwyd y cais, '*Give us some gum Chum!*' ac yn eu plith hwythau roedd dynion duon. Tystia sawl un a oedd yn ifanc ar y pryd ei bod hi, yn ei hanwybodaeth, yn eu hofni nhw, 'ofn ofnadwy' yn ôl Eileen Williams, Hendy-gwyn ar Daf. Ystyrid merched lleol a oedd yn cyfathrachu â milwyr dieithr mewn dawns 'yn gomon' tystia Margaret Davies, Llanpumsaint, ond priododd chwaer Eleanor Holland, Bethesda, ag Americanwr a dychwelyd yno gydag ef yn *GI Bride*. Olrheiniwyd hanes Alice Langdon yn y gweithle yn ystod y rhyfel eisoes ond cafodd fywyd personol cymhleth yn ei sgil. Pan oedd yn Portreath cafodd Alice berthynas ag Americanwr ac er iddynt drafod priodas galwyd ef adre'n ddisymwth. Adroddir yr hanes gan eu merch Mary Lyn Jones, a fagwyd yng Nghwmllynfell, ac nad oedd yn ymwybodol nad ei llystad oedd ei thad iawn. Pan oedd Mary tua deg oed darganfu lythyrau at ei mam gan rywun o'r enw Johnnie Carruthers a sylweddolodd 'fel fflach', o'r dyddiadau, pwy ydoedd. Ceisiodd drafod gyda'i mam ond nid oedd hi eisiau ymhelaethu. Yna, trodd Mary at yr elusen *Trace*, sy'n cynorthwyo plant milwyr *GI* i gael hyd i'w tadau. Araf iawn fu'r broses ond o'r diwedd, yn 1998, ac wedi deall mai Carothers oedd y sillafiad cywir, cafwyd hyd iddo. Un diwrnod daeth yr alwad hir-ddisgwyledig o America a llais dyn yn dweud, '*I think my dad is your dad.*' Cyn pen dim roedd Mary allan yno ac mor braf oedd cael croeso twymgalon gan ei thad. Roedd e wedi cario llun ohoni'n faban wyth mis oed yn ei waled ar hyd y blynyddoedd, '*This is an answer to my prayers*', oedd ei ymateb teimladwy. Ymfalchïai Mary'n fawr nad perthynas '*swagger and sweet talk*' yn unig fu un ei rhieni ond bod dyfnder i'r cariad rhyngddynt.

Bu diwedd y Rhyfel yn rhyddhad enfawr i bawb, ac er i lawer o'r menywod golli eu swyddi rhyfel i'r dynion a ddaeth adref o'r drin ac er i'r dogni barhau i frathu tan 1954 mewn rhai achosion, llawenydd a diolch o fod wedi goroesi oedd y prif emosiwn. Ar ddiwrnod Buddugoliaeth yn Ewrop (*VE Day*) – 8 Mawrth 1945, roedd hyd yn oed plant yn teimlo gollyngdod mawr. 'Oeddan ni i gyd fel genod yn gwisgo *red, white and blue*... ac yn gneud y *conga* rownd y dre', cofia gwraig o Benmaenmawr. Roedd gan siaradwraig arall atgof melys am Ddiwrnod Buddugoliaeth dros Siapan (*VJ Day*) – 14 Awst 1945, hefyd, 'O'n i'n mynd i'r 'Steddfod Genedlaethol, Rhosllannerchrugog... a dwi'n cofio'n iawn Elfed yn arwain... a mi stopiwyd y 'Steddfod am awr i ganu emyne... O'dd o'n brofiad mawr.'

Yn wir, gellir dweud 'o'dd o'n brofiad mawr' am holl alanastra'r Ail Ryfel Byd.

Gwau cysuron i'r lluoedd arfog yn y Drenewydd yn 1939. Sefydliad y Merched drefnodd y gweithdy a gwelir David Lewis, yn y balaclafa, yn dysgu'r menywod i wau! (Llun: Geoff Charles)

CAMEO

Winifred Ann Owen

Ymhen ychydig ar ôl gadael yr ysgol yn bedair ar ddeg oed cafodd **Winifred Ann Owen** (Gwytherin, 1922–2015), cantores ac eisteddfodwraig o fri, ei phapurau *call up* i'r Rhyfel, a newidiodd ei byd.

Ymunodd Win â'r Llu Awyr a chael ei gyrru am hyfforddiant i wersyll Bridgnorth, swydd Amwythig. Pan gyrhaeddodd, gwaeddodd rhyw sarjant arni am nôl ei '*biscuits*'; diolch byth, meddyliodd hithau, gan ei bod braidd yn llwglyd. Dysgodd yn gyflym er hynny mai planciau gwely oedd *biscuits*, nid bisgedi, a bod disgwyl iddi adeiladu ei gwely ei hun! Yna, dysgu martsio a saliwtio ac amddiffyn ei hun trwy roi ei bysedd yn llygaid y gelyn. Roedd yn falch iawn o'r wisg swyddogol, sef 'sgert a tiwnig *air-force blue*, a botyma isho'u llnau, a crys glas a tei glas... het *airforce blue*, a sgidia duon.'

Yn y baracs, cafodd ei hun yng nghanol criw mawr o Saeson a hithau'n brin iawn ei Saesneg. Ond dysgodd yn gyflym, '*believe me!*' Ac nid yr iaith yn unig; bu'n ysgol ryfeddol iddi 'gesh i glŵad am betha na chlywish i 'rioed sôn amdanyn nhw yn 'y mywyd... sôn am (fynd) hefo hogia a ryw betha felly, 'de. O'dd gin i'm dirnadaeth. Nag oedd tad.' Treuliodd gyfnod wedyn yn lapio parasiwtiau. Roedd yn rhaid cau pob un yn ddiogel ac er mwyn gwneud yn siŵr o hynny arferai Win gerdded i fyny ac i lawr y bwrdd lle gorweddai'r parasiwt. 'Ond pam yr holl gerdded?' gofynnodd y swyddog, â phob gweithwraig arall yn sefyll yn stond ar dop ei bwrdd. Am nad oedd yn gallu gweld hyd y bwrdd, eglurodd Win. Sylweddolwyd ei bod yn fyr iawn ei golwg ac yn gwbl anaddas ar gyfer y gwaith manwl hwn. Ac eto, meddai, 'o'dd pob un o'n rhai i 'di agor yn iawn.' Cafodd ei gyrru oddi yno i ateb y ffôn yn swyddfa'r swyddogion. Yn ystod y cyfnod hwn bu'n hwyr un tro yn dychwelyd i'w baracs am fod rhybudd cyrch awyr wedi stopio ei thrên. Ond doedd dim pwynt dadlau, cafodd ei chyhuddo o fod yn *absent without leave*, ei rhoi ar *charge* a mynd o flaen ei gwell. Ei chosb oedd sgwrio holl faddonau'r baracs – 'Fuon nhw erioed mor lân!', tystia.

Uchafbwynt ei gyrfa filwrol er hynny oedd cael bod yn un o warchodlu'r Cadfridog Eisenhower (Arlywydd America 1953–1961) yn Stanmore, swydd Amwythig. Bu hynny'n fraint ond roedd y cyfan yn *hush hush* iawn. Un diwrnod cafodd ei gwysio i'r swyddfa i'w holi'n ddifrifol am lythyr adref at ei rhieni. Roedd yn Gymraeg a bu'n rhaid iddi fynd ar ei llw nad oedd wedi datgelu unrhyw gyfrinachau peryglus ynddo. Cafodd Win ei henwi mewn adroddiadau swyddogol oherwydd ei chyfraniad clodwiw yn Stanmore.

Faint o effaith, felly, gafodd bod yn y Llu Awyr am bum mlynedd ar ei bywyd? 'Mi 'aru agor llwybrau gwahanol. O'n i'n medru meddwl am bethau gwahanol, mewn ffordd wahanol', meddai, a magodd lawer o hunan hyder yn sgil ei gwaith a'i phrofiadau yn ystod yr Ail Ryfel Byd.

Pennod 7

CYMREICTOD, MERCHED Y WAWR a GWLEIDYDDIAETH

Byddai'n deg dweud bod pob un o'r siaradwyr a holwyd yn ymwybodol iawn o'u Cymreictod, yn ymfalchïo ynddo ac yn eu gallu i siarad Cymraeg. Crisielir hyn yng ngeiriau Esther Griffiths yn wreiddiol o Lynrhedynog yn y Rhondda ond a oedd wedi byw ledled Cymru:

> 'Dwi wedi ca'l 'ngeni'n Gymraeg, dwi wedi ca'l 'n magu i fyny'n Gymraeg, dwi wedi ca'l ysgol yn Gymraeg... Dwi'n trio gneud bob peth yn Gymraeg os fedra i. Dwi'n sgrifennu llythyron a bob peth yn Gymraeg', ac ychwanega'n dalog, 'Dwi'n medru sgwennu'n Saesneg yn iawn, cofiwch.'

Felly hefyd Gwenda Lloyd Jones, Nantcol, yr oedd bod yn Gymraes yn golygu 'pob dim' iddi; yn ffordd o fyw, gan ei bod yn meddwl yn Gymraeg, a dyna dystiolaeth llawer o'r siaradwyr eraill. Ond nid pawb. Teimlai Gwynfa Adam, Gilfach-goch, ac Ann James, Penarth, iddynt gael eu hamddifadu o'r Gymraeg gan i'w rhieni newid iaith eu haelwyd i sicrhau bod eu plant yn gallu siarad Saesneg yn rhugl. Ymateb ei thad i Gwynfa pan heriodd ef am hyn oedd bod 'cael bara yn bwysicach na'r iaith', a chydnebydd hithau i dlodi'r ardal yn y tridegau arwain at golli'r iaith. Roedd mam Ann, meddai 'wedi cael ei heintio â chlefyd ei hoes, sef bod Cymraeg yn beth i ymwrthod â fo a bod Saesneg (yn) bob peth; debyg iawn i lot o'i chyfnod, yn arbennig yn ne Cymru ynte, a wedi 'ny yn gwrthod siarad Cymraeg.' Sioc enfawr, felly, oedd ei chlywed un diwrnod yn siarad yn nhafodiaith bert Nantyffyllon, lle magwyd hi.

Roedd Cymreictod yn greiddiol i ddechreuadau Merched y Wawr wrth gwrs. Mae'r hanes cyffrous a phwysig hwn eisoes wedi ei groniclo'n fanwl gan ddwy o brif sylfaenwyr y mudiad yn y Parc yn 1967, sef Sylwen Lloyd Davies yn *Merched y Wawr* (Y Lolfa, 2012) a Zonia Bowen yn ei hunangofiant, *Dy bobl di fydd fy mhobl i* (Y Lolfa, 2015). Afraid felly ailadrodd hyn yn ei fanylder ond mae'n werth cofnodi ambell sylw ychwanegol a hanesion rhai aelodau eraill a fu'n rhan o'r ymgyrchu cychwynnol. Eglura Sylwen sut a pham y cydiodd y syniad o fudiad newydd pan wnaeth e:

> Yn y chwedege, mi roedd Saunders Lewis... wedi rhoi ei ddarlith radio ac wedi dweud bod y posibilrwydd i ni golli'n hiaith... Oherwydd bod yr angen yna, mi dyfodd Merched y Wawr fel *mushrooms* drwy Gymru i gyd... Mae'n anodd iawn credu bod yna ryw bentre' bach â ryw ugain i bump-ar-hugain o aelodau wedi gallu dechre... O'n i'n teimlo mai Zonia oedd y sbarc... ond y ni (aelodau'r gangen) oedd y petrol, ac o'dd angen y ddau cyn y bydde'r peth wedi cychwyn.

Dywed Zonia mai 'prif fwriad y mudiad' iddi hi, 'oedd annog merched Cymru i barchu eu hiaith ac i ennill rhywfaint o hyder i fedru defnyddio'r iaith yn gyhoeddus ac mewn materion swyddogol, yn ogystal ag ar gyfer sgwrsio â'r naill a'r llall.' Dadlennol yw clywed argraffiadau'r ohebwraig Mary Wiliam (Middleton gynt) a anfonwyd ar frys o Gaerdydd i wneud eitem am y 'torri i ffwrdd' gyda'r ddwy sylfaenydd, ar gyfer y rhaglen *Heddiw* ar y BBC. Iddi hi, ymddangosai Zonia Bowen yn fenyw ddeallusol, yn 'siarad â rhyw ychydig o bellter rhyngddynt', mor gadarn ei ffordd ac yn dweud iddynt drïo eu gorau glas i aros o fewn y WI ond y gwrthodwyd yr hawl iddynt gadw cofnodion yn y Gymraeg; ond y wraig arall (sef Sylwen) wnaeth yr argraff bennaf arni hi – yn hollol wahanol ei phersonoliaeth: 'gwallt cochlyd, cwrlog a chanddi saith o blant'. Dwy mor wahanol eu ffyrdd, 'un ar y pen a'r wraig arall â'r brwdfrydedd a'r tân, fel corgi bach... yn ei dweud hi.'

Roedd Lona Puw hithau yn un o'r sylfaenwyr yn y Parc, 'O'dd o'n gyfnod anturus ofnadwy... Oeddan ni'n meddwl... ar ôl sefydlu mudiad fel hyn i ferched... y byse pobol yn cael bod yn falch o'u Cymreictod yn lle ein bod ni'n Brydeinwyr o hyd.' Dywed hi mai Tassie Edwards, Llwyn Mawr Isaf, awgrymodd sefydlu mudiad newydd yn y cyfarfod tyngedfennol hwnnw yn y Parc, ac i'r cyfan dyfu 'fel caseg eira'. Eglura'r penderfyniad i beidio â chael gormod o reolau na chyfundrefn rhy gaeth; yr unig reol oedd bod pob cyfarfod yn Gymraeg, ac â'n ei blaen 'O'n i'n meddwl ei fod o'n bwysig cael mudiad i ferched. A dim mudiad gwneud jam. Mudiad amgenach. A dim mudiad mwynhau chwaith... O'dd isho rhywbeth i dynnu merched allan o fod yn derbyn bob peth oedden ni'n gael.' Disgrifia Jane Evans o'r Parc yr ansicrwydd cychwynnol, 'Ddaru ni 'rioed feddwl, dychmygu, y basa fo'n mynd ffasiwn beth. Cychwyn mewn lle mor ddi-nod â'r Parc. Ond dyna fo, 'dan ni'n prowd iawn ohono fo.' Bu'r aelodau cynnar yn daer eu cenhadu dros y mudiad newydd gan deithio ledled Cymru i sefydlu canghennau newydd. Yn eu plith roedd Marged Lloyd Jones, a drigai ar y pryd yn Llanfyllin, a ddaeth yn Is-lywydd y mudiad ac a fu ynglŷn â sefydlu cant o ganghennau i gyd. Roedd hwn wrth gwrs yn gyfnod cyffrous iawn yng Nghymru, rhwng helyntion boddi Tryweryn, ymgyrchoedd Cymdeithas yr Iaith a'r gwrthwynebiad i'r Arwisgo yn 1969 a theimlai sawl siaradwraig mai ymestyniad naturiol o'r 'chwyldro' hwn oedd sefydlu Merched y Wawr. Dyna farn Mair Jones, Chwilog, 'Oeddan ni rywsut yn ganol y bwrlwm yna' a chytuna Morfudd Lloyd Jones, Amlwch, 'Oeddan ni'n teimlo bod ni yn gweithio dros Gymru, yn gneud gwahaniaeth, yn gofalu am y dyfodol, yn gwarchod yr iaith.'

Un a ymatebodd i'r her o sefydlu'r ail gangen, yn Y Ganllwyd, oedd Margaret Thomas. Ymfalchïai fod 24 wedi ymgynnull i'r cyfarfod cyntaf hwnnw ar 22 Mai 1967, yn drawstoriad hyfryd o oedran a chefndiroedd. Yn eu plith roedd Doreen Thomas, Saesnes ddi-Gymraeg sy'n cyfaddef mai ei chymhelliad cychwynnol oedd, 'isho plesio'r gŵr... o'n i'n gwybod bod o mor ofnadwy o bybyr am y Gymraeg.' Prin y byddai wedi disgwyl adwaith fel y cafodd ychwaith, gydag un wraig yn gwrthod gwerthu wyau iddi mwyach, ac un arall yn gwrthod cyd-gerdded i'r capel o hynny ymlaen. Fel rhan o fudiad i ferched cyffredin ei redeg y syniai Eirlys Jones am gangen newydd Y Ganllwyd, a bu'n gyfle iddi feithrin doniau pwysig, 'Cyn i Ferched y Wawr ddechra, fyddwn i byth yn meddwl sefyll ar 'n nhraed i ddiolch neu rwbath mewn rhyw gyfarfod. Wel, fedrwn i'm gneud... Ma rywun yn dod yn fwy hyderus...' A dyna brofiad llawer o'r aelodau a holwyd. Crisiala un siaradwraig y cyffro a deimlodd hi a sawl un arall yn ystod y blynyddoedd cynnar, mentrus hyn: 'O'dd 'na wefr, ond oedd? Oeddech chi'n mynd i neud rwbeth o'r newydd, doeddech? 'Sganddoch chi'm syniad, cychwyn y mudiad... meddwl bo chi'n ymladd am rwbeth oeddech chi'n gredu ynddo fo.'

Hyfryd yw gwrando ar Mair Lloyd Davies, yn dyfynnu o'i dyddiadur adeg sefydlu cangen Pwllheli, 7 Mawrth 1968: 'Mynd i gyfarfod cyntaf Merched y Wawr efo Mererid (James o gangen fywiog Llanfyllin). Tua cant yno, a chael ein diddori gan Barti Bon Marche a chael bwyd *lovely,*' a chofia iddi beintio ei hewinedd yn arbennig ar gyfer yr achlysur nodedig!

Eto, er y pwyslais ar y 'ferch gyffredin', bu rhai o enwau mwyaf adnabyddus y Gymru Gymraeg yn gysylltiedig â'r dechreuadau: Elen Rogers Jones, yr actores, â'i hanogaeth 'inni wneud petha'n iawn' ym Moelfre, Mrs R Williams Parry ym Methesda, Dr Kate Roberts a Cassie Davies yn cenhadu wrth grwydro Cymru a rhai o hoelion wyth y mudiad fel Gwyneth Evans, Arolygwr ei Mawrhydi a'r Llywydd Cenedlaethol cyntaf, 'a rôth y tân yn ein bolia ni', chwedl Rhianwen Huws Roberts; Jennie Eirian Davies yn yr Wyddgrug a'r darlithydd Beti Hughes, Caerfyrddin a fuont, ill dwy, yn Llywyddion Cenedlaethol yn eu tro. Serenna edmygedd eu cyd-aelodau ohonynt drwy'r cyfweliadau. Ymdeimlir hefyd ag edmygedd aelodau 2000-02 o'r sylfaenwyr lleol gweithgar ac ysbrydoledig, menywod fel Bethan Llywelyn, mam ifanc o Lôn-las, Abertawe, a fu'n cenhadu ymysg mamau'r ysgol Gymraeg ac yn allweddol yn sefydlu'r gangen gyntaf yn ne Cymru. Darlunia Mary Vaughan Jones y twf o gangen i gangen yn drawiadol, 'O'dd hi (Caernarfon) yn anferth o gangen... a 'mhen amser mi a'th cangen fawr Caernarfon yn frigau, ac mi gafwyd brigyn yn Waunfawr, a brigyn yn Dinas... a brigyn i fyny yn Deiniolen.' O'r gweithgarwch lleol hwn y tyfodd yn fudiad rhanbarthol a chenedlaethol. Darlunnir balchder mawr y swyddogion rhanbarthol a chenedlaethol yn fyw iawn yn y cyfweliadau, yn eu plith Enid Jones, Derwen-fawr, Llandeilo, a fu'n ysgrifennydd rhanbarthol a chenedlaethol (1976-9) mewn cyfnod o ehangu cyson, a hynny heb swyddfa a chyn penodi trefnydd llawn amser i gario pen trymaf y gwaith. Does gan Mair Lloyd Davies, eto, ddim amheuaeth am bwysigrwydd gweithredu ar lefel genedlaethol:

> Dan ni'n sôn am gyfnod pan oeddan ni yn brwydro i gael cofrestru'n plant yn Gymraeg, i gael ffurflenni yn Gymraeg... Wedyn o'dd hwn yn rhan o'r ymgyrch honno, mewn ffordd, i neud bob dim yn Gymraeg, a bod ganddon ni'r hawl i neud, 'de. Bod yr iaith 'di cael ei gorthrymu yn ddigon hir, a reit 'Rwan, dowch i ni neud'... dyna pam ddaru ni sefydlu'n hunain yn y dechra er mwyn cael llais a lobi cry'. Mae'r elfen genedlaethol yn bwysig iawn. Mae'n rhoi statws ac wmff i'r mudiad.

Beth felly am berthynas Merched y Wawr â Sefydliad y Merched ar ôl y torri ymaith cychwynnol? Tystia Sylwen Lloyd Davies na fu'n fwriad erioed i ddisodli Sefydliad y Merched ac ymddengys mai dim ond mewn rhyw ddwy neu dair cangen arall heblaw'r Parc, fel Pistyll a Threfor, yn rhanbarth Dwyfor, y trodd cangen o Sefydliad y Merched yn gangen o Ferched y Wawr. Seisnigrwydd Sefydliad y Merched oedd y prif faen tramgwydd, oherwydd tystir drwodd a thro fod y cyfarfodydd a'r aelodau mewn ardaloedd Cymraeg yn cyfathrebu'n Gymraeg ond bod pob mater ffurfiol a'r gweithdrefnau swyddogol yn uniaith Saesneg. Difyr yw clywed atgofion Rachel Jones, Bronwydd, o drefn y WI (a defnyddio'r teitl a ddefnyddir gan amlaf). Menywod cyffredin oedd aelodau WI Y Stag, meddai, ond mai merch y ficer a ddewisid yn *President* bob tro a byddent yn 'foto' am *secretary* a *treasurer* ac yn dewis *hostess* i bob cyfarfod. Rhoddai'r *President* gwpan *bone china* i'r *hostess.* Ond, medd yn dalog, Cymraeg oedd iaith y cyfarfodydd!

Y drefn gyffredin, er hynny, oedd sefydlu cangen mewn pentref cyfagos i osgoi drwgdeimlad a gwrthdaro. Dyna ddigwyddodd yn ardal Aberteifi; galwyd y cyfarfod cyhoeddus cyntaf ym Mhen-parc gerllaw, tyrrodd tua chant o fenywod iddo, medd Beti Lloyd, ac aed ati i wrthbrofi'r dybiaeth leol '*nothing Welsh lasts in Cardigan*'. Sonnir rhywfaint am 'elyniaeth' a 'gwrthdaro' rhwng y mudiad newydd mentrus a'r mudiad hir-sefydledig ac yn anochel mae'n siŵr fod peth chwerwedd pan fyddai aelodau brwdfrydig a gweithgar yn gadael i ymuno â'r cystadleuydd ifanc beiddgar. Roedd peth ansicrwydd yng Nglyn Ceiriog medd Einwen Jones, un o sylfaenwyr a Llywydd cyntaf cangen Merched y Wawr, er bod ei mam ymhlith sylfaenwyr y WI cryf yn y pentref. Eto, penderfyniad sawl siaradwraig oedd parhau'n aelodau o'r ddau fudiad, heb weld unrhyw groestynnu. Felly y gwnaeth Margaret Davies, Alltwalis, gan ddal swyddi yn y ddau; Jennie Eirlys Williams, Deiniolen; Eryl Williams, Porth Tywyn, ac Eileen Williams, Hendy-gwyn ar Daf. Roedd y mwyafrif ohonynt wedi bod yn aelodau o Sefydliad y Merched, yn unol â thraddodiad teuluol, ers pan oeddent yn ifanc ac o'r farn fod gan y ddau fudiad rywbeth i'w gynnig i fenywod o bob oedran.

Dathlu hanner canmlwyddiant Sefydliad y Merched gan Ffederasiwn Meirionnydd gyda phasiant ym Mhafiliwn Corwen yn 1965. (Llun: Geoff Charles)

Beth, felly, oedd gan Ferched y Wawr i'w gynnig i'w aelodau, ar wahân i weithgareddau trwy gyfrwng y Gymraeg? Tystir droeon sut y bu i'r profiad o arwain godi hyder a statws menywod yn y cyfnod. Dysgasant ymdopi â swyddi llywydd, ysgrifennydd a thrysorydd a bu hynny'n addysg amhrisiadwy. Dyna farn Rhianwen Huws Roberts (Llywydd Cenedlaethol 1994-96):

> Mae'n bur debyg bod gneud cymdeithas fel Merched y Wawr wedi codi hyder merched i fod yn gneud pethau cyhoeddus... bod nhw'n gallu, nid bod nhw isho mynd i'r cefndir drwy'r amser, achos ma hynna'n rhan o gyfansoddiad merch... bod hi'n tueddu i fod ar yr ymylon fel gneud y te ac yn y blaen. Erbyn hyn, ydan, mi rydan ni'n gallu cystadlu â dynion ar yr un lefel â nhw, a ma hynna, i mi, yn gyfraniad ma Merched y Wawr wedi medru'i neud.

Adleisia siaradwraig yng nghangen Llangefni'r sylw hwn, 'Ar y cychwyn, roedd y mudiad yn ehangu gorwelion merched mewn byd oedd yn cael ei ddominyddu gan ddynion.' Er y byddai'r rhan fwyaf a holwyd yn gwadu eu bod yn ffeministiaid yn y chwedegau, roedd llawer o'u gweithredoedd a'u hymddygiadau mewn gwirionedd yn persawru o feddylfryd o'r fath. Recordiwyd ambell ddysgwraig ar gyfer y prosiect hefyd a thystiant hwy'n bendant i ymuno â'r mudiad eu helpu i groesi'r bont a hogi eu sgiliau ieithyddol a chymdeithasol.

O safbwynt ehangu gorwelion yn llythrennol, bu'r cyfarfodydd cenedlaethol yn gyfrwng i wneud ffrindiau ledled Cymru, medd Mair Griffiths, Llangristiolus, a thraetha siaradwyr yn frwdfrydig am deithio dramor i Rwsia, Oberammergau, Jerwsalem, Llydaw, Patagonia a sawl gwlad arall dan ymbarél y mudiad. Ond gan fod cymaint o'r gweithgareddau hyn y tu allan i union ffiniau amseryddol y prosiect hwn (sef o'r ugeiniau i'r chwedegau) ni ymhelaethir arnynt yma. Felly hefyd brofiadau difyr a helbulus nifer o'r Cyn-lywyddion, megis Margarette Hughes (1988-90), a ystyriai iddi gael ei gwthio fel 'Siwpyrted' ar hyd '*conveyor belt*' y mudiad yn ddiseremoni i'r goleuni ac i'r swydd! Yn yr un modd, nid oedd y gweithgarwch mawr dros ymgyrchoedd fel iechyd menywod trwy Bron Brawf Cymru, agor 'Porth y Wawr' yn noddfa i'r anabl yn Nant Gwrtheyrn, neu dros fenywod gorthrymedig tramor, fel yn Lesotho a'r '*home-makers*', wedi gwreiddio o fewn y cyfnod dan sylw, er bod cryn sôn amdanynt yn y cyfweliadau. Ceir darlun cynhwysfawr ohonynt, unwaith eto, yn *Merched y Wawr* (Y Lolfa, 2012).

O edrych yn ôl dros ysgwydd y blynyddoedd o 2000–02 i'r dechreuadau, ceir ambell air o feirniadaeth. Yn gam neu'n gymwys, dywed rhai siaradwyr fod gormod o athrawon a menywod proffesiynol yn arwain y mudiad. Dyna farn Vanna (Hannah) Evans, Cwmfelinmynach a Margaret Lon Jones, Llanwrda – a honnai eu bod 'tamaid bach o *upper class*'. Pryderai Mair Roberts, Llanberis, hithau am y ddelwedd, gan fod 'pobol yn gyffredinol', meddai, 'yn credu mai merched dosbarth canol, sydd wedi derbyn addysg Brifysgol, sy'n cefnogi Plaid Cymru, ac sydd wedi bod yn ymgyrchu dros Gymdeithas yr Iaith', oedd yr aelodau. Byddai aelod o Wrecsam wedi cytuno bod 'tuedd i chwilio am aelodau trwy'r capeli a'r papurau Cymraeg' ac nad oedd y mudiad 'yn trio nac yn llwyddo i gyrraedd menywod cyffredin.' Yn sicr, er gwell neu er gwaeth, roedd cyswllt cryf iawn rhwng diwylliant y capeli a diwylliant Merched y Wawr yn y blynyddoedd cynnar. Ond lleiafrif sy'n traethu fel hyn. Byddai'r mwyafrif wedi cydsynio â sylw Margaret Jones, Llanrhystud, bod croestoriad da o athrawon, menywod siop a gwragedd fferm yn mynychu'r cyfarfodydd. Yn sicr, cyfwelwyd nifer fawr o wragedd fferm a oedd yn aelodau, ac ystod o fenywod o alwedigaethau eraill, fel y dangoswyd uchod, ar gyfer y prosiect hwn. Ond canfyddiad yw canfyddiad – ac efallai mai'r menywod proffesiynol oedd fwyaf parod i ymgymryd â swyddi yn y mudiad. Mae sylw Morfydd Lloyd Jones, Llangefni, yn hynod dreiddgar a theg wrth iddi fwrw llinyn mesur dros y mudiad:

> (Yn 1967) O'dd 'na frwdfrydedd. O'dd o'n fudiad newydd...
> (Ond erbyn 2000) Dwi'n meddwl bod ni 'di colli hynny dyddia yma... wrth bod... yr iaith Gymraeg wedi cael mwy o hawliau yn y cyfamser. Diolch i waith Merched y Wawr, Cymdeithas yr Iaith a mudiadau er'ill, 'dan ni 'di ca'l mwy o hawlia, wedyn dydi'r angen a'r rheidrwydd ddim gymaint. Dydi'r tân cynta byth mor eirias mewn blynyddoedd, nac'di?

Yn sicr, cofnoda'r cyfweliadau sut y bu aelodau'n ymgyrchu mewn sawl maes arall yn y cyfnod dan sylw. Bu llawer ohonynt yn brwydro am addysg cyfrwng Cymraeg yn eu bröydd. Yr arian byw yng Nghastell-nedd oedd Wendy Richards (Llywydd Cenedlaethol 1976–78) a drefnodd (pan fynnodd y cyngor lleol nad oedd angen ysgol Gymraeg) i dalu athrawes i gynnal ysgol Gymraeg yn festri Capel Bethania a gweithgareddau codi arian yn ei chartref yn Nhyle Teg. O'r diwedd, agorwyd dosbarthiadau

Cymraeg yn ysgol Saesneg Mynachlog Nedd a thyfodd y rhain fel caseg eira yn ysgol Gymraeg lawn yn 1955. Gellid ymhelaethu a rhestru enghreifftiau tebyg. Ymestyniad o hyn, a maes a oedd yn hynod boblogaidd gan aelodau, oedd sefydlu a chefnogi ysgolion meithrin. Fel y noda Eirlys Peris Davies (Llywydd Cenedlaethol 1984-86), roedd egwyddorion, dyheadau ac amcanion y ddau fudiad yn asio'n berffaith.

Plant bach ysgol feithrin Llansannan a sefydlwyd gan gangen Merched y Wawr y pentref cyn sefydlu'r Mudiad Meithrin; 1968. (Llun: Geoff Charles)

Er na sefydlwyd Mudiad Ysgolion Meithrin ei hun tan 1971, roedd Nansi Hayes eisoes wedi helpu i agor ysgol feithrin ym mhentref Y Borth a Margaret Lloyd Hughes wedi bod yn eithriadol weithgar yn Aberystwyth, gan ddod yn aelod o'r pwyllgor a ffurfiodd y mudiad newydd. Bu canghennau Merched y Wawr Llanfyllin a Llansannan hwythau yn allweddol yn sefydlu ysgolion meithrin yn eu hardaloedd a gellid ychwanegu sawl enghraifft arall. Cofnodwyd ambell hanesyn am weithio dros Gymdeithas yr Iaith yn y chwedegau hefyd. Un ymgyrchydd oedd Anna Jones, Abersoch, a dreuliodd ddeng mlynedd ar hugain yn athrawes ym Mhontypridd. Siom iddi oedd darganfod ymdeimlad gwrth-Gymreig yn yr ardal hon ond ymdaflodd Anna i fwrlwm ymgyrchu'r cyfnod. Ffawdheglodd i Dryweryn yn 1965, lle gwelodd y protestwyr yn rhwystro ceir y pwysigion rhag cyrraedd agoriad swyddogol y Gronfa a bu'n peintio llawer o arwyddion ffyrdd yn ei thro. Yna, adeg yr Arwisgiad yn 1969, addurnodd hi a'i ffrindiau eu ffenestri â negeseuon fel '*Ich Dien*' ac ennyn gwawd eu cymdogion. Wnaeth Anna ddim ymuno â'r gangen leol o Ferched y Wawr, ym Mhontypridd, oherwydd 'o'n i'n teimlo mod i'n ormod o rebal', ond wedi dychwelyd yn brifathrawes i'w chynefin, ymunodd â changen Abersoch.

Bu eraill yn ymgyrchu ar lefelau unigol, personol. Dros yr hawl i ddefnyddio fersiwn Cymraeg Rheolau'r Ffordd Fawr y bu Norah Isaac, yr addysgwraig, yn brwydro ganol y tridegau a byddai'n galw ym mhob Swyddfa Bost am gopi i greu'r argraff fod galw mawr amdanynt! Yn ei gwaith yn giropodydd y bu Mavis Llewelyn, Ystalyfera, yn sefyll ei thir dros yr iaith. Gwrthwynebid iddi siarad Cymraeg gyda'i chleientiaid yng Nghwm Tawe, a chafodd 'ei galw'n bob enw dan haul', ond yn raddol daeth ei chyd-weithwyr i'w derbyn a'i pharchu. Yr enwocaf o'r siaradwyr hyn yn ddi-os oedd Eileen Beasley, ysbrydoliaeth darlith radio enwog Saunders Lewis yn 1962 am iddi hi a'i gŵr, Trefor, fynnu'r hawl i gael papurau treth yn y Gymraeg. Fodd bynnag, ni aethpwyd ar y trywydd hwn yng nghyfweliad y prosiect hwn – efallai am fod hanes yr ymgyrchu eisoes yn adnabyddus. Gellid lluosi enghreifftiau o ymgyrchu unigol o'r fath – gan fod cariad at yr iaith a'i pharhad mor ganolog bwysig i gymaint o'r aelodau.

Mudiad allweddol yn hybu eu Cymreictod yn ifanc oedd Urdd Gobaith Cymru, a sefydlwyd yn 1922. Erys y gweithgareddau dychmygus, megis y mabolgampau enfawr a drefnid ar eu cyfer, yn fyw yn y cof. Teithiodd Gwenllian Jones o Ysgol De la Beche, Abertawe, i Fachynlleth yn 1937 i gymryd rhan mewn mabolgampau, gan dderbyn bathodyn 'Dysgwr', er ei bod o Gwm Tawe Gymraeg! Ymfalchïai'r aelodau yn y wisg swyddogol, sef sgert werdd, blowsen wen, tei coch a gwyrdd, blaser werdd, a het werdd a phlufyn coch ynddi, yn ôl Ann Edwards, Pwll, Llanelli. Allai rhieni Jane Jones Roberts, Trefor, ddim fforddio prynu bathodyn yr Urdd, swllt yr un iddi hi a'i chwaer tua 1930 ac felly gwisgent ef bob yn ail noson. Sonnir am weithgareddau amryfal yr aelwydydd cynnar hefyd; gan gynnwys dosbarthiadau cymorth cyntaf, coginio a barddoni, a chwarae tenis bwrdd a biliards yn Abersoch yn ôl Beti Hughes, tuag adeg yr Ail Ryfel Byd, ac ym Mrynaman roedd adeilad yr Aelwyd ar agor bob nos o'r wythnos, medd Valerie Jones, a 'dyna ble byddai pawb yn cwrdd a charu'. Caiff cystadlu ar ddawnsio a chanu gwerin, penillion a chyd-adrodd mewn

Hwyl a sbri yng ngwersyll yr Urdd, Glanllyn yn 1954. (Llun: Geoff Charles)

eisteddfodau cynnar, fel y gwnaeth Eirlys Owen, Bow Street, yn eisteddfod gyntaf yr Urdd yng Nghorwen yn 1929, gryn sylw hefyd. Roedd gwersylloedd yr Urdd yn atynfa fawr. Bu'n rhaid i Mary Beynon Davies ddewis rhwng mynychu gwersyll cynnar Llangollen tuag 1928 neu gael *gymdress* newydd, a'r wisg enillodd y dydd. Ond bu Mary Roberts, Licswm, yng Nglan-llyn a Phantyfedwen yn Y Borth yn y pedwardegau a Mair Garnon James, Llandudoch, yn swyddog droeon yng Nglan-llyn. Tystia Lalmai Thomas mai hi a'i gŵr sefydlodd aelwyd Llandudoch a bod 80 o aelodau yno yn 1943. Eto, doedd pawb ddim yn gefnogol, yn eu plith tad Rhiannon Jones a chwarelwyr Blaenau Ffestiniog, tua chanol y tridegau:

> Dwi'n cofio pan ddaeth Aelwyd yr Urdd yma gynta... chaethwn i ddim mynd... gan 'y nhad achos oedd wnelon nhw â'r Blaid Genedlaethol. '*Hitler Youth*' oeddan nhw 'de?... o'dd o'n rhy debyg i'r '*Hitler Youth*'.

Brawddeg allweddol yng nghyfansoddiad Merched y Wawr yw'r un lle pwysleisir ei fod yn 'fudiad gwladgarol, yn amhleidiol yn boliticaidd ac yn anenwadol yn grefyddol'. O safbwynt gwleidyddol ni cheir hyrwyddo unrhyw un blaid boliticaidd trwy gyfrwng y mudiad a chytunai pob siaradwraig mai dyma'r polisi cywir. Trafod eu hymlyniadau gwleidyddol personol a wnâi siaradwyr y prosiect felly. Braf oedd clywed pob un a holwyd yn dweud eu bod yn pleidleisio bob cyfle posibl. Cofiai Nancy Roberts, Talwrn, ei mam yn ei hatgoffa am y frwydr i ennill y bleidlais i fenywod yn y lle cyntaf. Eto, adlewyrchir hefyd agweddau'r cyfnod, megis

Aelodau o gast Pasiant Merched y Wawr Meirionnydd a lwyfannwyd ym Mhafiliwn Corwen yn 1974. (Llun: Geoff Charles)

pan honna Gwenllian Jones, Rhiw-fawr, na fyddai merched 'yn siarad am bethau o'r fath', neu pan ddywed Kate Owen, Groes, Dinbych, mai sffêr dynion oedd gwleidyddiaeth ac mai 'sgwrs merched fyddai sôn am deulu a gwaith'. Yn wir, dywed sawl un nad oedd ganddi lawer o ddiddordeb mewn gwleidyddiaeth ac mai dilyn cyngor ei thad neu ei gŵr a wnâi wrth bleidleisio.

Ond camarweiniol fyddai meddwl na thrafodwyd gwleidyddiaeth a phlaid. Cawn hanes cartrefi, yn enwedig ym meysydd glo de a de-orllewin Cymru ac ardaloedd y chwareli llechi, lle'r oedd 'lot o gwmpo mas' ar y pwnc hwn, gyda'r tad yn Llafurwr a'r fam yn Rhyddfrydwraig, fel yng nghartref Sally Jones, Beulah. Gadawodd tlodi a dirwasgiad y dau- a'r tridegau argraff ddofn ar rai siaradwyr. Dim ond saith oed oedd Dilys Clement, Craig-cefn-parc, adeg Streic Gyffredinol 1926 ond cofia fynd i festri'r capel gyda'i thad â chabetsh o'r ardd i'r Gegin Gawl ar gyfer plant y glowyr. Yn yr un modd bu Mair Williams, Llanelli, yn gwylio dynion yn crafu am lo ar y tipiau adeg y Streic ac yn cael eu herlid oddi yno. Yn Dre-fach Felindre, gweithiai nifer o'r trigolion yn y ffatrïoedd gwlân a gelwid pentref Trefelin gerllaw yn 'Rwsia fach' oherwydd bod cymaint o sosialwyr yn byw yno. O'r herwydd, medd Olive Campden, roedd amser etholiad yn 'ddychrynllyd o ddanjerus' gyda'r 'hen Doris' o ffermwyr 'yn pledo' yn efail Jac y Gof â'r sosialwyr, a gredai 'bod Aneurin Bevan yn dduw.' Bu dylanwad Jim Griffiths ac Aneurin Bevan yn drwm ar nifer o siaradwyr. Deuai Jim Griffiths i gartref siaradwraig a drigai yn Llwynhendy, 'fel petai yn dod adre', a chlywodd Euron Owen ef ac Aneurin Bevan yn areithio ym Mangor – 'siaradwyr gwych, w'chi, llawn tân (a) brwdfrydedd', er mai Pleidwraig oedd hi. Dyma un o'r cyfarfodydd cyhoeddus lluosog a oedd mor boblogaidd wedi'r Ail Ryfel Byd, pan deithiai ymgeiswyr seneddol y pentrefi a'r trefi yn canfasio am bleidleisiau. Mynychai cannoedd y rhain yn ôl Marion Thomas, Hendy-gwyn ar Daf, ac roedd hwyl a sbri adeg etholiad. Bu Megan Lloyd George (bellach yn Llafurwraig) a Barbara Castle ar ymweliad â'r swyddfa yn rŵm ffrynt ei chartref hi, ond eto, arferai ei mam 'newid ei phlaid fel ceiliog y gwynt'!

Roedd ymlyniad at y Rhyddfrydwyr, yn arbennig felly Lloyd George, yn dal yn gryf ledled Cymru yn y cyfnod dan sylw. Clywsai Mary Beynon Davies ef yn annerch 'yn ysgubol' ym Mhwllheli a dywed bod ei mam yn 'Lloyd George i'r carn' am iddo gyflwyno pensiwn gwladol a hithau'n weddw. Tystia Nesta Jones fod y gogledd yn hanner addoli Lloyd George, er bod ei phentref hi ei hun, Llandygái, yn drwm dan ddylanwad Torïaid Castell y Penrhyn. Yn ddeg oed clywodd ef yn areithio ym Mangor, 'Allech chi glywed pin yn cwympo', meddai, a chofia amdano'n cyflwyno Megan i'r dorf, gan ddweud, 'Fi gwelodd hi gynta', a'i mam yn ei gywiro'n ffraeth, 'Rwy'n credu mai fi gwelodd hi gynta'. Yn Sir Drefaldwyn, ar y llaw arall, Clement Davies yr Aelod Seneddol (1929–1962) oedd 'duw' y Rhyddfrydwyr a phan alwai am de yng nghartref Ann Roberts, Llanwddyn, deuai'r llestri a'r lliain gorau allan. Prin iawn oedd unrhyw dystiolaeth o ymlyniad at y Ceidwadwyr ymysg y siaradwyr a holwyd.

Daw'n amlwg fod Plaid Cymru wedi denu nifer o'r siaradwyr i wneud dewis gwahanol i'w rhieni, fel yn hanes rhai o'r siaradwyr uchod. Bu Mary Beynon Davies mewn cyfarfod yn dilyn bomio Penyberth ym Mhwllheli yn 1936 a gweld Saunders Lewis yn ymdopi â bechgyn lleol anystywallt a gredai fod y weithred o'i losgi yn '*disgusting*'. Bu Dr Eirwen Gwynn gyda'i thad, a oedd yn fechnïwr dros Lewis Valentine, un o dri Penyberth, y tu allan i'r llys pan ddaeth yr achos gerbron a chlywodd hithau dorf o ddynion lleol yn gweiddi'n filain 'hen Nashis diawl' ar y Pleidwyr. Ceisiodd hi, ei gŵr, y newyddiadurwr Harri Gwynn, ac eraill, hyrwyddo 'Gwerin', mudiad newydd a fyddai'n cyfuno polisïau cenedlaetholgar a sosialaidd, yng Nghynhadledd y Blaid yn Abertawe yn 1938 ond trodd Saunders Lewis arnynt 'yn gwbwl annemocrataidd' a bu'n 'hynod o gas'. Gweithred Penyberth sbardunodd siaradwraig o Landegfan i ymuno â'r Blaid hefyd a bu hi'n Drysorydd Rhanbarth Môn am ddeng mlynedd. Bu protestio yn erbyn rheibio tir Cymru wedi'r Ail Ryfel Byd yn sbardun i sawl un ystyried ei hymlyniad gwleidyddol. Yn 1948 ac 1951, pan geisiwyd ehangu'r maes tanio yn Abergeirw, ymunodd Eirlys Jones â'r brotest a gwelodd bobl o ledled Cymru yn cefnogi dan faner 'Amddiffynnwn dir Cymru'. Yn eu plith roedd Gwynfor Evans, Llwyd o'r Bryn a J E Jones, ac roedd hyn yn galondid mawr, yn enwedig gan i'r brotest lwyddo. Ymhlith y siaradwyr a holwyd roedd prifathrawes olaf Ysgol Celyn cyn boddi Cwm Tryweryn. Disgrifia'n ddwys y protestio yn Lerpwl a'r trigolion lleol a'r plant yn cael eu hecsbloetio gan y cyfryngau a'u trin yn waradwyddus gan swyddogion Cyngor Lerpwl. Roedd yn 'amser difrifol', meddai, 'geiriau oedd yn brifo... yn rhoi halen ar y briw', a dyna pryd y dechreuodd hithau 'siarad heb flewyn ar dafod.'

Poster etholiadol Jennie Eirian Davies, ymgeisydd seneddol Plaid Cymru yn Sir Gaerfyrddin yn Etholiad Cyffredinol 1957. (Llun: Hawlfraint Llyfrgell Genedlaethol Cymru: Adran Llawysgrifau a Chofysgrifau)

Unwaith eto sonnir am gyfaredd cymeriadau dylanwadol. Er nad oedd Waldo Williams, y bardd a'r heddychwr, yn 'siaradwr cyhoeddus da' medd Ann John, am ei fod yn 'rhy ddwfwn', bu ei gyfarfodydd gwleidyddol yn ysbrydoliaeth. Cofia Eirlys Phillips fynychu noson lansio cangen Plaid Cymru Cefneithin, a chlywed Carwyn James a Gwynfor Evans yn areithio. Aeth adref a soniodd am hyn wrth ei thad a oedd yn undebwr a Llafurwr ac atebodd yntau y gallai wneud llawer mwy dros ei gyd-ddyn yr adeg honno drwy'r Blaid Lafur. Cyfyd enwau Gwynfor Evans a Jennie Eirian Davies droeon yn y cyfweliadau. Cyfaddefa Sylwen Lloyd Davies nad gwleidyddiaeth oedd fwyaf dylanwadol bob amser, 'O'dd Gwynfor Evans yn ddyn ifanc golygus, ac oeddan ni'r plant — pawb yn dewis 'n *pin up*...'. Trigai Maisie Nitsch yn Llangadog a disgrifia'r drwgdeimlad yn yr ardal adeg yr Ail Ryfel Byd oherwydd bod Gwynfor Evans yn heddychwr a'r gred ei fod ‘yn cwato tu ôl i’r tomatos’ yn ei dŷ gwydr. Ond ar y llaw arall, pan etholwyd ef i’r Senedd dros Sir Gaerfyrddin yn 1966 ‘roedd rhialtwch rhyfedd yn y pentref... a phawb yn canu cyrn’. Dywed Eirlys Davies, Aberhosan, i’w theulu fod yn ‘gynhaliaeth i Blaid Cymru’ yn ei sir, trwy godi arian mewn Nosweithiau Llawen a thalyrnau beirdd. Ar ddiwrnod yr etholiad yn 1966, treuliodd hi a’i chwaer y diwrnod yn Llanllwni yn ticio enwau ar y rhestr etholwyr ac yn casglu pobl i bleidleisio yn eu car. Ar un fferm roedd y wraig ar ganol pluo iâr ond cododd a dod gyda hi, â’i sgarff am ei phen a’i ffedog o’i blaen, cyn i’r bwth gau. Gyda’r nos buon nhw eu dwy i lawr yn sgwâr Caerfyrddin yn canu a mwynhau, ‘Fu dim diwrnod tebyg i hynny yn fy mywyd i’, meddai.

Cymreictod oedd prif symbyliad cefnogaeth llawer un i Blaid Cymru; yn eu plith Meinwen Parry, Rhosgadfan, a Gwenllïan Jones, Porthmadog, a ymunodd yn ddisgyblion ysgol er bod eu tadau yn Llafurwyr. Gwelodd Gwenllïan garcharu rhai o’i phlant oherwydd eu hymgyrchu dros yr iaith. Felly hefyd yn achos siaradwraig o Fangor, y bu protestio a charcharu ei merch yn sbardun iddi weithredu i’w chefnogi. Dywed mai dyma ‘un o’r cyfnodau anoddaf’ wrth iddi geisio sicrhau chwarae teg i’w merch a chefnogi ei hegwyddorion. Crisiala Mena Jones, Pen-y-groes, a fu’n aelod o Blaid Cymru am 25 mlynedd ond a ddadrithiwyd yn ddiweddarach, bryder cynifer yn y cyfnod dan sylw ond yn fwy fyth erbyn 2000, pan holwyd hwy. Gofynna’n daer:

> Dwi yn gallu byw ’y mywyd yn gyfan gwbl trwy’r iaith Gymraeg. Mi alla i fynd allan i Blaenau ac mi alla i ddod yn ôl heb siarad gair o Saesnag. Hwnna sy’n bwysig. Sut ydan ni’n mynd i warchod hwnna?

Er bod gwleidyddiaeth yn bwnc allweddol os dadleuol yn y cyfweliadau, prin oedd y menywod a oedd wedi bod yn gynghorwyr lleol na sirol ac ni recordiwyd unrhyw Aelod Seneddol. Bu Ann John, Llan-y-cefn, yn gynghorydd dros Blaid Cymru ar Gyngor Dosbarth Gwledig yn Sir Benfro am ddeng mlynedd ac yn gadeirydd yn ei thro. Gwahoddwyd hi i Balas Buckingham ond ni ŵyr, meddai, pam yr aeth yno! Marian Davies, Llanilar, oedd cadeiryddes gyntaf ei Chyngor Plwyf lleol. Cafodd ei hannog i sefyll er mwyn cael menyw arno a bu’n aelod am bymtheng mlynedd.

Bu’n braf gallu cofnodi’r hanesion hyn gan mai byd gwrywaidd fu byd gwleidyddiaeth yn draddodiadol yng Nghymru ond llosgai angerdd a thân dros eu hachosion amryfal ym moliau sawl siaradwraig hefyd.

CAMEO

Gwladwen Ann Jones

Er mai yn gymharol ddiweddar yr ymunodd **Gwladwen Ann Jones** (Abertawe, 1913- 2006) â Merched y Wawr, chwaraeodd Cymreictod a gwleidyddiaeth plaid ran allweddol yn ei bywyd lliwgar.

Gweinidog capel yr Annibynwyr, Ebenezer, Tylorstown, yn y Rhondda Fach oedd tad Gwladwen a'i mam yn aelod brwd o Gymdeithas Ddirwestol Merched y De. Un tro, pan oedd yr Arglwyddes Nancy Astor yn hwyr i gyfarfod, bu'n rhaid i'w mam siarad yn gyhoeddus a goddef gwawdio glowyr meddw yn gweiddi '*Down with the Drink!*'. Cafodd Gwladwen ei magu i groesi'r ffordd rhag cerdded heibio tafarn ac i osgoi caffes Eidalaidd y Bracchis am eu bod yn Gatholigion. Yn y cyfnod hwn roedd mwyafrif trigolion y cymoedd yn troi eu cefnau ar yr iaith, ond ymdrechodd ei rhieni i'w magu hi a'i chwaer hŷn, Catherine, yn Gymry pybyr.

Symudodd y teulu i Gaerdydd yn 1921 a mynychodd Gwladwen Cardiff High School. Yno, heb fawr gefnogaeth, bu'n ymwneud â sefydlu cangen o'r Urdd, gan wahodd Ifan ab Owen Edwards i'w hannerch. Yna'n ddisymwth, bu farw ei thad a bu'n rhaid i Gwladwen roi heibio'i breuddwyd o astudio Ffrangeg yn y brifysgol a dilyn cwrs gwyddor tŷ yn lle. Tra roedd hi yn y Coleg cyfarfu â Gwent Jones, myfyriwr meddygol, ac ymunodd â Phlaid Cymru. Roedd yn gyfnod o fwrlwm mawr a chofia werthu'r *Ddraig Goch*, papur y Blaid, ar orsaf Heol y Frenhines, ac wynebu Crysau Duon ffasgwyr Oswald Moseley.

Erbyn hyn roedd ei chwaer wedi ymuno â'r Eglwys Gatholig a phriodi J E Daniel, Llywydd y Blaid Genedlaethol. Cynhyrfodd hyn densiynau yn y cyfryngau a geisiodd ddadlau y byddai'r dylanwad hwn a Chatholigiaeth Saunders Lewis yn tynnu Cymru yn ôl i'r Oesoedd Canol. Cofia Gwladwen amdanynt yn griw o ferched a dynion ifainc afieithus yn cerdded i Ysgol Haf y Blaid ym Mlaenau Ffestiniog ac yn cysgu mewn pebyll a festrïoedd – ond gan gadw'r rhywiau ar wahân!

Ar ôl priodi, symudodd Gwent yn feddyg teulu i Abertawe. Yno, bu Gwladwen yn cyfrannu at weithgarwch Clwb Cinio Difiau'r Blaid yn Nyfnant, gan baratoi prydau o fwyd i'r di-waith bob nos Iau, yng nghanol dirwasgiad difrifol y tridegau. Ond dyma hefyd gyfnod llosgi Ysgol Fomio Penyberth, ac yn Ysgol Haf Caerfyrddin yn 1936 synhwyrai Gwladwen fod rhywbeth mawr ar y gweill. Yn y dirgel, cyfrannodd at drefniadau'r weithred ei hun. Ei thasg hi oedd casglu Robin Richards a Vic Jones, a oedd yn rhan o'r cynllwyn ehangach, ar Fannau Brycheiniog a'u gyrru yn ôl i Gaerdydd. Bu hi yn Llundain yn gwrando ar yr achos llys yn erbyn y tri yn yr Old Bailey.

Cyfraniad mawr arall a wnaeth hi a'i phriod i Gymreictod Abertawe oedd ymgyrchu am ysgol Gymraeg, yn gyntaf yn nwyrain y dref, nes agor Ysgol Lôn-las, ac yna yn y gorllewin. Cychwynnwyd ysgol wirfoddol mewn festri capel a byddai hi'n cario tua dwsin o blant ar y tro i'r ysgol yn Landrofer y teulu. Penllanw'r ymgyrch hon fu agor ysgol gynradd Gymraeg yng Nghwmbwrla.

Treuliodd Gwladwen oes yn hyrwyddo a chefnogi Cymreictod mewn amryfal ffyrdd.

ATODIAD

Rhestr o'r siaradwyr y gwelir eu henwau yn y testun. Nodir eu henwau llawn (lle gellir), man eu geni a'u cangen yn 2000-2002 gydag enw'r rhanbarth: A: Arfon; Aberc: Aberconwy; AD: Alun-Dyfrdwy; Caerf: Caerfyrddin; Cered: Ceredigion; Col: Colwyn; D: Dwyfor; De-dd: De-ddwyrain; GM: Glyn Maelor; Gorll. M: Gorllewin Morgannwg; MP: Maldwyn-Powys; Meir: Meirion; Môn; P: Preseli a Deau Penfro. Nodir rhifau'r casetiau yn ogystal.

Gwynfa Adam, Gilfach-goch (Deudraeth: Meir) [9336–9337]
(Catherine) Eileen Beasley, Hendy-gwyn ar Daf (Hendy-gwyn ar Daf: Caerf) [9084-9086]
Eurwen Bowen, Yr Alltwen (Pontardawe: Gorll. M) [8877]
Mair (Olwen) Bowen, Boncath (Tegryn: P) [9501–9502]
Zonia (Margarita) Bowen, Swydd Efrog (-) [9201–9202]
Gwladys Burton, Llanbrynmair (Bro Cyfeiliog: MP) [9608]
Nancy (Roberts) Byrne, Nefyn (Nefyn: D) [9199–9200]
Olive (Evans) Campden, Dre-fach-Felindre (Bargod Teifi: Caerf) [8896–8897]
Gwyneth Carey, Dr, Pentrefoelas (Bontuchel: GM) [9562]
Jane Eirwen Carter, Gwauncaegurwen (Gwaun Gors: Gorll. M) [9009]
Margretta Cartwright, Caergybi (Cwm Nantcol: Meir) [9050]
Blodwen Charles, Y Rhyl (Y Rhyl: AD) [9309]
Dilys (May) Clement, Craig-cefn-parc (Llanddarog: Caerf) [8927–8928]
(Agnes Jane) Marian Davies, Llanilar (Bro Ilar: Cered) [9257]
Beryl Davies, Cydweli (Caerfyrddin: Caerf) [8909–8911]
(Bessie) Marina Davies, Cwmllynfell (Porthcawl: De-dd) [9251]
Betty Davies, Llan-y-bri (Llannau'r Tywi: Caerf) [8917–8918]
Catherine (Elizabeth) Davies, Glyn Ceiriog (Dyffryn Ceiriog: GM) [9609]
Dorothy Davies, Alltwalis (Berem: Caerf) [8807]
Eirlys Davies, Aberhosan (Bro Radur: De-dd) [9160]
Eirlys Peris Davies, Llanberis (Ffynnon-groes: P) [9516–9518]
Elizabeth (Catherine) Davies, Llanddaniel-fab (Glan Conwy: Aberc) [9326]
(Elizabeth Margaret) Iona Davies, Llanfyrnach (Bro Ddewi: P) [9210–9211]
Gwerfyl Davies, Llanfairfechan (Tre-garth: A) [8830]
(Ivy) Doreen Davies, Pont-iets / Pontantwn (Llangyndeyrn: Caerf) [8943–8944]
Jenny Davies, Llanberis (Llwynpiod: Cered) [9782–9783]
Mair Davies, Horeb, Llandysul (Talgarreg: Cered) [9789]
Mair Lloyd Davies, Porthmadog (Pwllheli: D) [9588–9589]
Margaret Davies, Llanpumsaint (Bro Gwili: Caerf) [8870]
Margaret (Elizabeth) Davies, Beulah (Beulah: Cered) [9486–9488]
Marion Davies, Y Tymbl (Gorseinon: Gorll.M) [8881]
Mary Beynon Davies, Pwllheli (Aberystwyth: Cered) [8796/8998–8999]
Mary (Jane) Davies, Y Foel (Y Foel: MP) [9596]
May (Margaret Mary) Davies, Cwm Gwaun (Trefdraeth: P) [9206–9207]
Meirwen (Hughes) Davies, Ffynnongroyw (Treffynnon: AD) [9130–9132]

Nan (Elizabeth Ann) Davies, Creunant (Abertawe: Gorll. M) [9029–9030]
Nans (Megan) Davies, Aberdâr (Yr Wyddgrug: AD) [9178–9179]
Rhiannon Parri Davies, Llansannan (Llansannan: Col) [9724–9725]
Sylwen Lloyd Davies, Y Bala (Y Parc: Meir) [8837–8838]
Ann Edwards, Pwll, Llanelli (Glantwymyn: MP) [9595]
Nesta (Parry) Edwards, Cross Inn (Llanfarian: Cered) [9442]
Ellen (Vaughan) Ellis, Botwnnog (Llwyndyrys: D) [9290–9291]
Mari Ellis, Dylife (Aberystwyth: Cered) [9432]
Beryl Enoch, Llanfair (Llandysul: Cered) [9091]
Anne Evans, Llaniestyn (Nantgwynant: D) [8980]
Annie Meirion Evans, Dolgellau (Dolgellau: Meir) [9033–9034]
(Catherine) Theresa Evans, Garnfadrun (Llaniestyn: D) [9189–9190]
Charlotte (Mary) Evans, Y Foel (Mawddwy: MP) [9312–9313]
(Deilwen) Mair Evans, Y Bermo (Trawsfynydd: Meir) [9057]
Dwynwen Evans, Llanelli (Bro Cennech: Caerf) [8810–8811]
Eleri Evans, Garndolbenmaen (Nantgwynant: D) [8974]
(Elizabeth) Adie Evans, Aber-cuch (Bro Radur: De-dd) [9161–9162]
Ellen (Margaret) Evans, Dolgellau (Blaenau Ffestiniog: Meir) [9298–9299]
Gret Evans, Garndolbenmaen (Golan: D) [8978]
Gwyneth Evans, Tanygrisiau (Glannau Pibwr: Caerf) [8898–8899]
Jane (Gwladys) Evans, Y Parc (Y Parc: Meir) [9107]
Mair (Glynne Susan) Evans, Llanelli (Cylch Aeron: Cered) [9771–9772]
Mair (Wyn) Evans, Rhuthun (Porthmadog: D) [9273–9275]
Margaret Lloyd Evans, Llanrhaeadr Y.C., Dinbych (Llanrhaeadr: GM) [9693]
Mattie (Martha Letitia) Evans, Pencarreg (Pumsaint: Caerf) [8960–8961]
Mary Evans, Cross Hands (Abertawe: Gorll. M) [9021–9022]
Mary Evans, Gwauncaegurwen (Y Gwter Fawr: Gorll. M) [9148–9150]
Mary Evans, Tal-y-bont, Bangor (Nefyn: D) [9288–9289]
Miriam Evans, Tre-boeth (Tre-boeth: Gorll. M) [8887–8888]
Nesta Evans, Manod (Llan Ffestiniog: Meir) [8889]
Rhiannon Evans, Rhiwlas (Rhiwlas: A) [8845]
Sallie Bryn Evans, Caernarfon (Y Barri: De-dd) [9473–9475]
Sally Evans, Felindre (Pontarddulais: Gorll. M) [9144]
(Sarah Elizabeth) Afonia Evans, Tre-saith (Abergwaun: P) [9505–9506]
Vanna (Hannah) Evans, Cwmfelinmynach (Gronw: Caerf) [8864–8865]
Anna (Martha) Eynon, Llanddewi Felffre (Pontarddulais: Gorll. M) [9147]
Jenny Ford, Pencader (Bro Alma: Caerf) [8934]
Beti George, Godre'r Graig (Ystalyfera: Gorll. M) [9015]
Nancy George, Godre'r Graig (Ystalyfera: Gorll. M) [9011]
Esther (Elizabeth) Griffith, Glynrhedynog (Mawddwy: Meir) [9316–9317]
Alice Griffiths, Dinorwig (Deiniolen: A) [8791–8792]
Beti (Elizabeth Jane) Griffiths, Treherbert (Treforys: Gorll. M) [9005]
Blodwen Griffiths, Ffair-rhos (Mynach: Cered) [9271–9272]
Dora (Theodora Augusta) Griffiths, Maes-y-bont (Hwlffordd: P) [9493–9494]
Mair (Elizabeth) Griffiths, Llangristiolus (Llangefni: Môn) [9621–9622]
Mair Griffiths, Llangynnwr (Pen-y-groes: Caerf) [9066–9067]
Margaret (Anne) Griffiths, Dre-fach Felindre (Pen-y-groes: Caerf) [9064–9065]
Megan (Laura) Griffiths, Sarnau (Sarnau: Meir) [9046]

Olwen Griffiths, Llanfair Caereinion (Y Rhyl: AD) [9310]
Eirwen (Meiriona) Gwynn, Dr, Lerpwl (Tal-y-bont: Cered) [9464–9466]
Mary (Margaret) Hall, Clydach (Clydach: Gorll. M) [9016]
Eunice Harris, Yr Alltwen (Pontardawe: Gorll. M) [8878]
Nansi Hayes, Llangeler (Genau'r Glyn: Cered) [9456–9457]
Eleanor Holland, Bethesda (Tregarth: A) [8846]
Eirwen Hopkins, Rhydaman (Rhydaman: Caerf) [8948–8949]
Margaret Hopkins, Tregaron (Mynach: Cered) [9269–9270]
Nancy (Catherine Ann) Howell, Blaen-ffos (Blaenffos: P) [9219]
Muriel (Joyce) Howells, Aberdâr (Pen-y-bont ar Ogwr: De-dd) [9248]
Beryl Hughes, Capel Seion (Rhydypennau: Cered) [9451–9453]
Beti Eurfron Hughes, Dyffryn Nantlle (Llanaelhaearn: D) [9424–9425]
Beti (Isabel) Hughes, Abersoch (Abersoch: D) [8989–8990]
Ceridwen Hughes, Rhostryfan (Llandwrog: A) [9377–9378]
Ellen (Mary) Hughes, Llanddeusant (Llanddeusant: Môn) [9655–9656]
Margaret Lloyd Hughes, Cwm Ystwyth (Y Garth: De-dd) [9241–9242]
Margarette (Sara Gwyn) Hughes, Ilfracombe (Hendy-gwyn ar Daf: Caerf) [9103–9105]
Mary Hughes, Clynnog Fawr (Y Groeslon: A) [8827–8828]
Nan Hughes, Bancffosfelen (Gwendraeth: Caerf) [8767–8769]
Eunice (Maud) Iddles, Felinfoel (Caerdydd: De-dd) [9169]
Norah Isaac, Caerau, Maesteg (-) [9068–9069]
Ann James, Penarth (Trawsfynydd: Meir) [9055]
Mair Garnon James, Llandudoch (Llandudoch: P) [9476–9478]
Rhydwen James, Yr Alltwen (Pontardawe: Gorll. M) [8876]
Valerie James, Brynaman Isaf (Caerfyrddin: Caerf) [9079–9080]
Myfanwy Jarman, Bodffordd (Caerdydd: De-dd) [9168]
Eiluned Jenkins, Blaendulais (Glyn-nedd: Gorll. M) [9019]
Ann John, Llan-y-cefn (Bro Arberth: P) [9229–9231]
Gwenda John, Blaen-ffos (Blaenffos: P) [9217–9218]
Erinwen (Mai) Johnson, Gwytherin (Abergele: Col) [9722–9723]
Agnes Jones, Dinas Mawddwy (Tywyn: Meir) [9367–9368]
Amelia (Ann) Jones, Caergybi (Caergybi: Môn) [9554]
Ann Jones, Tre'r-ddôl (Aberporth: Cered) [9665–9666]
Ann (Eleanor) Pierce Jones, Saron, Dinbych (Golan: D) [8979]
Anna Jones, Abersoch (Abersoch: D) [9286–9287]
Avrina Jones, Machynlleth (Pennal: Meir) [9373–9374]
Beryl Jones, Dinbych (Llanelwy: AD) [9139]
Betty (Elizabeth) Treflys Jones, Llanrhaeadr-ym-Mochnant
(Llanrhaeadr-ym-Mochnant: MP) [9619-9620]
Betty (Elizabeth Lloyd) Jones, Lerpwl (Nefyn: D) [8983]
Brenda Wyn Jones, Bethesda (Tregarth: A) [8847]
Deilwen (Medi) Jones, Blaenau Ffestiniog (Dre-fach: Caerf) [8808–8809]
Dwynwen Jones, Llanerfyl (Dre-fach: Caerf) [9750–9751]
Einwen (Mary) Jones, Glyn Ceiriog (Dyffryn Ceiriog: GM) [9613]
Eirlys Jones, Y Bermo (Y Ganllwyd: Meir) [9369–9370]
Eirwen Jones, Llansannan (Llangwm: Col) [9714–9715]
Eirwen Jones, Tan-y-fron, ger Dinbych (Y Bala: Meir) [9045]
Elen Jones, Rhostryfan (Rhostryfan: A) [9741–9742]

Elinor Jones, Blaenau Ffestiniog (Wrecsam: GM) [9649]
Elsa (Owen) Jones, Rhuthun (Bryneglwys: GM) [9574–9575]
(Emma) Eurwen Jones, Whitehurst (Y Waun) (Llandudoch: P) [9469–9470]
Enid Jones, Derwen-fawr (Caerfyrddin: Caerf) [8805–8806]
Enid Jones, Nantlle (Merthyr Tudful: De-dd) [9254]
Fona (Arfona Powell) Jones, Gorseinon (Gorseinon: Gorll. M) [8882]
Grace Jones, Aber-erch (Chwilog: D) [9330–9331]
Gwen Redvers Jones, Blaenau Ffestiniog (Llangyndeyrn: Caerf) [8771]
Gwen Parry Jones, Pen-y-ffordd (Sir y Fflint) (Prestatyn: AD) [9137]
Gwenda Lloyd Jones, Nantcol (Llan Ffestiniog: Meir) [8891]
Gwen(llian) Jones, Bryn, Port Talbot (Llanybydder: Cered) [9491–9492]
Gwenllïan Jones, Porthmadog (Penrhosgarnedd: A) [8798]
Gwenllian Elizabeth Jones, Rhiw-fawr (Tre-boeth: Gorll. M) [8885–8886]
Gwladwen (Ann) Jones, Tylorstown (Abertawe: Gorll. M) [9025–9027]
Gwyneth Elin Jones, Ystradfellte (Glyn-nedd: Gorll. M) [9018]
Gwyneth Llywelyn Jones, Llangwnnadl (Morfa Nefyn: D) [9322–9323]
Heulwen Jones, Pentrefoelas (Carmel: Aberc) [9671–9672]
Jennie Lloyd Jones, Bodffordd (Llangefni: Môn) [9564–9565]
Laura (Elizabeth) Jones, Llanfihangel Glyn Myfyr (Uwchaled: Col) [9634–9635]
Llinos (Myfanwy) Jones, Llangollen (Caernarfon: A) [8975]
Mair Jones, Bootle (Capel Garmon: Aberc) [9675–9676]
Mair Jones, Chwilog (Chwilog: D) [9332]
(Mair) Bronwen Jones, Sir Drefaldwyn (Rhos a Phen-y-cae: GM) [9607]
Mair (Eluned) Jones, Penmynydd (Brynsiencyn: Môn) [9394 –9395]
Mair Penri Jones, Pen-y-bont-fawr (Y Parc: Meir) [9804–9805]
Margaret Jones, Betws, Rhydaman (Rhydaman: Caerf) [8950–8951]
(Margaret) Beryl Jones, Llangrannog (Bro Cranogwen: Cered) [9768–9769]
Margaret Lon Jones, Llanwrda (Caerfyrddin: Caerf) [8866–8867]
Margaret (Mary) Jones, Trawsfynydd (Maes-y-waun: Meir) [9117–9118]
Margaret (Ruth Lloyd) Jones, Llanrhystud (Cylch Aeron: Cered) [9779]
Margaret Valerie Jones, Brynaman (Y Gwter Fawr: Gorll. M) [9157]
Marged Lloyd Jones, Rhydlewis (Bro Tryweryn: Meir) [8841–8843]
Mari Jones, Rhyd-y-main (Tywyn: Meir) [9379]
Mari (Louvaen) Jones, Pontypridd (Llanrhuddlad: Môn) [9558]
Marlis Jones, Bethesda (Bro Cyfeiliog: MP) [9611–9612]
Mary Lyn Jones, Barnet (swydd Hertford) (Y Gwter Fawr: Gorll. M) [9154–9155]
Mary Vaughan Jones, Llanrug (Caernarfon: A) [8970]
Mary Wyn Jones, Pontllyfni (Brynaerau: A) [8770]
Mena Jones, Pen-y-groes (Blaenau Ffestiniog: Meir) [9388 –9389]
Morfudd Lloyd Jones, Amlwch (Llanaelhaearn: D) [9416–9417]
Nan Jones, Blaendulais (Glyn-nedd: Gorll. M) [9020]
Nancy Jones, Llandwrog (Llandwrog: A) [8816]
Nans Jones, Cribyn (Y Garreg Wen: Cered) [9213–9214]
Nansi (Annie Aerona) Jones, Ciliau Aeron (Llan-non: Cered) [9784]
Nesta Jones, Llandygái (Llanelli: Caerf) [9076–9077]
Rachel (Hannah) Jones, Bronwydd (-) [9513–9515]
Rhian (Llwyd Wynne) Jones, Arthog (Uwchaled: Col) [9690–9691]
Rhiannon Jones, Blaenau Ffestiniog (Blaenau Ffestiniog: Meir) [9304–9305]

Sali (Sarah Elizabeth) Jones, Maen Gwynedd (Rhiwlas : GM) [9602]
Sally (Margaret) Jones, Beulah (Aberporth: Cered) [9670]
Sinah Watkin Jones, Cwm Penanner (Y Bontfaen: De-dd) [9170]
Alice (Eluned) Langdon, Blaengarw (Y Gwter Fawr: Gorll. M) [9158]
Edwina Lewis, Rhydargaeau (Peniel: Caerf) [8860]
(Gwladys) Mefin (Ann) Lewis, Login (Beca: P) [9236]
Mareth Lewis, Cwrtnewydd (Llanelli: Caerf) [8912–8913]
Mattie (Martha Alma Eileen) Lewis, Clunderwen (Maenclochog: P) [9223–9224]
May Lewis, Mynachlog-ddu (Caerfyrddin: Caerf) [8925–8926]
Nan Lewis, Cefneithin (Nantgaredig: Caerf) [8905–8908]
Olwen Lewis, Tal-y-bont, Dyffryn Ardudwy (Cwm Nantcol: Meir) [9051]
Peggy (Margaret Mary) Lewis, Cwm-twrch Isaf (Ystalyfera: Gorll. M) [9012]
Mavis Llewelyn, Ystalyfera (Ystalyfera: Gorll. M) [9014]
Beti Lloyd, Llangrannog (Cylch Teifi: Cered) [9237–9238]
Beti (Elizabeth) Lloyd, Llwydcoed (Dinbych: GM) [9681]
Janet Lloyd, Bynea (Cwmfelin: Caerf) [8812–8813]
Margaret Jane Lloyd, Oerffrwd, Clatter (Carno: MP) [9616–9617]
Pegi (Margaret) Lloyd, Llansamlet (Lôn-las: Gorll. M) [8995]
Mair (Mary Ann) Matthewson, Gellifedw (Lôn-las: Gorll. M) [8997]
Dorothy Miarczynska, Southport (Llanuwchllyn: Meir) [9113(2)–9114]
Artudfyl Morgan, Rhymni (Genau'r Glyn: Cered) [9462–9463]
Mary (Blodwen) Morgan, Glyn-nedd (Bro Wyre: Cered) [9787–9788]
(Hannah) Esther Morgans, Pen-y-groes (Pen-y-groes: Caerf) [8795]
(Elizabeth) Alice Morris, Licswm (Llanelwy: AD) [9174–9175]
Elizabeth (Tynno) Morris, Clynnog Fawr (Llanrhaeadr-ym-Mochnant: MP) [9615]
Glenys (Jean) Morris, Llundain (Llanbedr Pont Steffan: Cered) [9480–9481]
Marged Morris, Llangadfan (Y Foel: MP) [9572–9573]
Ray (Rachel Anne) Morris, Llangyfelach (Tre-boeth: Gorll. M) [8893]
Elsie (May) Nicholas, Pontarddulais (Pontarddulais: Gorll. M) [9146]
Maisie (Eleanor Annie) Nitsch, Llangadog (Llangadog: Caerf) [8952–8953]
(Catherine Elizabeth) Valmai Owen, Tregaron (Aberystwyth: Cered) [9435–9436]
Dorothy (Violet) Owen, Bargoed (Betws-y-coed: Aberc) [9650–9651]
Eirlys (Myfanwy) Owen, Bow Street (Rhydypennau: Cered) [9454–9455]
(Elizabeth) Euron Owen, Penmaenmawr (Eigiau: Aberc) [9707–9708]
Gwen Owen, Llanarmon, Chwilog (Pencaenewydd: D) [9278–9279]
Kate Owen, Groes, Dinbych (Llanelwy: AD) [9176–9177]
Mair Owen, Llanfair Talhaearn (Llanfair Talhaearn: Col) [9720–9721]
Margaret Owen, Afon-wen, Pwllheli (Y Bermo: Meir) [9032]
Mair (Mary) Owen, Tregaron (Bronnant: Cered) [9261]
Nansi (Annie) Owen, Llanfairfechan (Pwllheli: D) [8985]
Nansi Pugh Owen, Tywyn (Pennal: Meir) [9371–9372]
Olwen Owen, Llannerch-y-medd (Llannerch-y-medd: Môn) [9400–9401]
Winifred (Ann) Owen, Gwytherin (Llanrwst: Aberc) [9696–9697]
Glenys (Mary) Owens, Llandysilio (Mynachlog-ddu: P) [9523–9524]
Edith Parry, Cricieth (Golan: D) [8977]
Meinwen Parry, Rhosgadfan (Penrhosgarnedd: A) [8798]
Olwen Parry, Llanwrda (Bro Pantycelyn: Caerf) [8901–8902]
(Eirlys) Enid Penry, Gorseinon (Gorseinon: Gorll. M) [8880]

Eirlys Phillips, Cefneithin (Bro Ddyfi: MP) [9497–9498]
Joyce (Rees) Phillips, Ffynnon-groes (Ffynnon-groes: P) [9225–9226]
(Caroline) Elizabeth Phillips, Llanboidy (Y Bontfaen: De-dd) [9173]
Megan (Wyn) Phillips, Cricieth (Bethesda: A) [8822]
Elinor (May) Pritchard, Efailnewydd (Efailnewydd a Llannor: D) [9191]
Eluned Mai Porter, Llangadfan (Y Canoldir: MP) [9752–9753]
Mair (Eluned) Price, Botwnnog (Chwilog: D) [9282–9283]
Megan Price, Llanbedr-goch (Talwrn: Môn) [9576–9577]
Rhiannon (Ann) Price, Trecastell (Porthcawl: De-dd) [9250]
Glenys (Anne) Pritchard, Lerpwl (Porthaethwy: Môn) [9627–9628]
Lona (Wyn) Puw, Y Drenewydd (Y Parc: Meir) [8965]
Mattie Reece, Yr Alltwen (Pontardawe: Gorll. M) [8879]
Ann Rees, Troed-y-rhiw (Penrhiw-llan: Cered) [9489–9490]
Sylvia Rees, Lôn-las (Lôn-las: Gorll. M) [8996]
Ann Roberts, Llanwddyn (Pen-y-bont ar Ogwr: De-dd) [9247]
Beryl Roberts, Trefor (Trefor: D) [9297]
Bethan (Margaret) Roberts, Llangrannog (Bro Cranogwen: Cered) [9774–9775]
Diana (Mary) Roberts, Rhosllannerchrugog (Dinbych: GM) [9663]
Dilys Roberts, Llannerch-y-medd (Llannerch-y-medd: Môn) [9406–9407]
Dinah (Elinor) Roberts, Eglwys-bach (Llanfair Talhaearn: Col) [9718–9719]
Eleanor (Owen) Roberts, Drws-y-coed (Cricieth: D) [8967]
Elizabeth Pugh Roberts, Rhyd-y-main (Y Bermo: Meir) [9049]
Jane Jones Roberts, Trefor (Abersoch: D) [8991–8992]
Laura Wyn Roberts, Pwllheli (Morfa Nefyn: D) [9280–9281]
Lora (Ann) Roberts, Llanystumdwy (Llanystumdwy: D) [9414–9415]
Mair Roberts, Capel Garmon (Penmachno: Aberc) [9706]
Mair (Elen) Roberts, Llanberis (Dinas: A) [8850–8851]
Mari Roberts, Llanfachreth (Llandudno: Aberc) [9333–9334]
Mary Roberts, Licswm (Yr Wyddgrug: AD) [9182]
Mary Roberts, Salem, Llandeilo (Llandeilo: Caerf) [8940]
Megan Roberts, Bryneglwys (Caernarfon: A) [8971]
Nancy Roberts, Talwrn (Llannerch-y-medd: Môn) [9402–9403]
Rhianwen Huws Roberts, Cynwyd (Bangor: A) [9599–9600]
Sal (Sariann Ray) Roberts, Gwynfe (Castell-nedd: Gorll. M) [9000]
(Violet) Mona Roberts, Amlwch (Llanfair Pwllgwyngyll: Môn) [9659–9660]
Beryl Rogers, Tregeiriog (Dyffryn Ceiriog: GM) [9614]
Ann Rosser, Gellifedw (Lôn-las: Gorll. M) [8915–8916]
Gwynneth Rowlands, Lerpwl (Benllech: Môn) [9418–9419]
Ruby Salmon, Solfach (Bro Ddewi: P) [9212]
Ray (Rachel Evelyn) Samson, Dinas, Tre-lech (Tegryn: P) [9499–9500]
Ann Shilvock, Y Ffôr (Pencaenewydd: D) [9276–9277]
Marie Shirley, Lerpwl (Gorseinon: Gorll. M) [8892]
(Charlotte) Lilian Smith, Porth-y-rhyd (-) [8937–8938]
Edna Stenger, Abergwaun (Abergwaun: P) [8859]
Eira Taylor, Beddgelert (Nantgwynant: D) [9185–9186]
Alwena Thomas, Llannerch-y-medd (Amlwch: Môn) [9353]
(Ann) Doreen Thomas, Talsarnau (Dolgellau: Meir) [8964]
Beryl Thomas, Llangynog (Llannau Tywi: Caerf) [8919–8920]

Buddug Thomas, Pennant, Llanbrynmair (Genau'r Glyn: Cered) [9458–9459]
Dilys (Elizabeth) Thomas, Tal-y-bont (Betws-y-coed: Aberc) [9653–9654]
Doris (May) Thomas, Treforys (Treforys: Gorll. M) [9006]
Eirlys (Elizabeth) Thomas, Llyswyrny (Pen-y-bont ar Ogwr: De-dd) [9249]
Eirlys (Gwen) Thomas, Dolgellau (Brithdir: Meir) [9038]
Gwinnie Thomas, Meidrim (Aber-nant: Caerf) [8945–8947]
Inez Thomas, Llanelli (Cwmfelin: Caerf) [9078]
Kate (Catherine Ann) Thomas, Treforys (Tre-boeth: Gorll. M) [9001]
Lalmai (Sara Mary) Thomas, Drefach Felindre (Beulah: Cered) [9098]
M. Nesta Thomas, Penbedw (Y Groeslon: A) [9735–9736]
Margaret (Jean) Thomas, Coed-poeth (Y Ganllwyd: Meir) [8963]
Marion Thomas, Hendy-gwyn ar Daf (Hendy-gwyn ar Daf: Caerf) [8921–8922]
Nancy (Ann Grace) Thomas, Caernarfon (Llangefni: Môn) [9570–9571]
Olive (Gwenllian) Thomas, Pont-iets (-) [8780–8781]
Sarah Thomas, Porth Amlwch (Llanfechell: Môn) [9553]
Ray (Rachel Ann) Tobias, Crug-y-bar (Y Garreg Wen: Cered) [9215–9216]
Lettie (Letitia Mary) Vaughan, ardal Ciliau Aeron (Y Dderi: Cered) [9793]
Greta (Margaretta Hefina) Walters, Llanllwni (Pencader: Caerf) [9083]
Carys Whelan, Llwynypia (Y Bontfaen: De-Dd) [9172]
Mary Wiliam, Tredegar (Bro Radur: De-dd) [9164–9166]
Ann (Mary) Williams, Rhos-meirch (Rhos-meirch: Môn) [9382–9383]
(Anna) Camwy Williams, Rhydlewis (Genau'r Glyn: Cered) [9460–9461]
Beti Williams, Llanfwrog (Rhos-meirch: Môn) [9390–9391]
Catherine (Kitty) Williams, Cwmtirmynach (Maes-y-waun: Meir) [9119]
Catherine Williams, Llanfairfechan (Llanfairfechan: Aberc) [9737–9738]
Edna (Eleanor) Williams, Llanddeusant (Llanrhuddlad: Môn) [9563]
Elizabeth (Frances) Williams, Tredegar Newydd (Deudraeth: Meir) [9340–9341]
Eryl Williams, Porth Tywyn (-) [8955–8956]
Gwyneth Williams, Rhydyclafdy (Morfa Nefyn: D) [8987–8988]
Ifanwy Williams, Lerpwl (Porthmadog: D) [9195–9197]
Jane Williams, Cwm Penanner (Bro Tryweryn: Meir) [9121]
Jennie Eirlys Williams, Deiniolen (Deiniolen: A) [8783–8784]
Jennie (May) Williams, Harlech (Harlech: Meir) [9037]
Katie Williams, Pennant, Dolbenmaen (Cricieth: D) [8968]
Kitty (Catherine Ceinwen) Williams, Dihewyd (Cylch Teifi: Cered) [9239–9240]
Laura Williams, Tudweiliog (Efailnewydd a Llannor: D) [9295–9296]
Mag (Annie Margaret) Williams, Brynberian (Cylch y Mwnt: Cered) [9092–9093]
Mair Williams, Llanelli (-) [8789/8814–8815]
Mair Meredith Williams, Harlech (Harlech: Meir) [9040]
Minnie (Mary) Williams, Caer (Yr Wyddgrug: AD) [9183–9184]
Nancy Williams, Penrhiw-llan (Llandysul: Cered) [9089–9090]
Olwen Williams, Llansannan (Abergele: Col) [9700–9701]
Pegi Lloyd Williams, Aberpennar (Blaenau Ffestiniog: Meir) [9306–9307]
(Sarah) Eileen Williams, Hendy-gwyn ar Daf (Hendy-gwyn ar Daf: Caerf) [9074–9075]
Wenna (Frances) Williams, Y Groeslon (Y Groeslon: A) [8825–8826]